知財DX

の開発力を甦らせる

古川智昭
FURUKAWA TOMOAKI

幻冬舎MC

日本の開発力を甦らせる
知財DX

はじめに

今、日本の開発力が目に見えて衰退しています。研究開発費と研究者数は米国・中国に大きく水をあけられ、２００１年にピークを迎えた日本の特許出願数は、現在はその３分の２にまで減少しました。

日本企業の国際競争力という観点においても、低迷が続いています。１９８９年には世界時価総額ランキングの上位20社のうち14社を日本企業が占めていましたが、現在は上位20社に日本企業は１社も含まれません。さらに国際経営開発研究所（ＩＭＤ）が毎年発表する世界競争力年鑑によると、日本の競争力は１９８９年から１９９２年まで１位を保っていましたが、２０２２年は34位まで転落しています。「失われた30年」「空白の30年」といわれるように、イノベーションが進まず低迷が続く日本に、もはやかつての技術大国の面影はなくなってしまったのです。

沈みゆく日本の開発力を甦らせるためには、革新的な発明を生み出す研究開発の環境を整備しなければなりません。しかし現場を見ると、第一線で走り続けるべき研究者・技術者がノイズだらけの膨大な量の特許調査に忙殺されています。

例えば、同じようなアイデアが先に出願・登録されていないかをリサーチする先行技術調査の場合、一つひとつの特許情報を読み込み、それぞれの特許評価をエクセルに入力しながら手作業で管理しています。また、海外の特許情報については研究者・技術者自らが無料の翻訳ソフトを使ったり辞書を引いたりしながら膨大な日数を費やして特許調査をしているような有様なのです。

このような現状ではイノベーションが進むはずもなく、ＡＩやシステムの活用などでＤＸを推進し、特許調査から膨大なロスタイムをなくす必要があります。

私は国内大手電機メーカーで30年にわたり、研究・開発の現場と知的財産管理の実務に携わってきました。退職後はその現場の苦労を解消するシステムを構築するビジネスを立ち上げ、目の前の特許調査に追われている研究者・技術者に本来の研究開発業務に専念できる環境を提供したいという一心で独自の特許調査効率化システムを開発したのです。

このシステムでは、過去の特許調査を一つのフォーマットで分類・整理でき、特許調査を効率化することができます。海外特許文献を日本語で参照できるため、外国語を読む必要もありません。さらには、競合各社の出願動向をリアルタイムで確認できる機能や、公開特許による他社キーパーソンの発明動向のチェックなどもできるため、効率よく研究・開発の方針を立てられます。このようにＤＸを推し進めることで、研究・開発の現場を本来あるべき「発明創出の場」に戻すことができるのです。

本書は知的財産管理における情報活用と効率化の重要性などを事例も交えながらまとめています。経営および研究・開発、知的財産管理に携わる皆さんが、本書を通じて日々の業務フローを見直すきっかけを得ることができれば、これほどうれしいことはありません。そして最終的には、日本の発明・開発力が復権する起死回生の一手となることを心から祈念しています。

目次

第2章

質を追求した〝つもり〟の誤った知財戦略がもたらす知的財産部門のコストセンター化

第3章

旧態依然の知財業務がもたらす研究開発へのしわ寄せ ムダだらけの特許調査に追われる技術者たち

第4章

DXでリアルタイムの情報活用を実現する革新的発明を生む開発現場の知財プラットフォームとは

第5章
理想は事業部や研究所単位で進めるDX
企業別・知財DXへの壁と挑戦

第1章

なぜ、日本の開発力は
低下したのか……
過去の資産活用に偏向した
知財経営の実態

停滞する日本のビジネス環境と空白の30年

米国の社会学者エズラ・ヴォーゲル教授による著書「ジャパン・アズ・ナンバーワン」が、1979年に日本でベストセラーとなり、日本経済が高度経済成長期とその後の黄金期を迎えていた1990年代初頭までと比較して、2023年の日本があらゆる面で停滞していることは、誰しもうなずくところかと思います。安倍晋三元首相により2013年に示された「日本再興戦略」で大胆な金融政策、機動的な財政政策、民間投資を喚起する成長戦略の「三本の矢」が実行に移され、いわゆるアベノミクスという政策を打ち出しても、日本経済が以前のような世界のトップに躍り出ることはありませんでした。大胆な金融緩和政策の恩恵を受けて株価や企業業績が好調だったとしても、日本の企業や経済の底力が回復してきている実感が少ないという感覚は残ったままです。

1990年代初頭から現在に至るまでの日本の経済環境は、企業の底力や経済の実質的な強さという観点から見れば、まさに「失われた30年」という言葉がピッタリです。「失われた30年」は、日本のバブル経済崩壊後の１９９０年代初頭からの「失われた20年」を経て、その後の経済成長や景気拡大が起こらない場合に「失われた30年」を迎えてしまうという意味で使われていた言葉です。１９９０年代初頭からまさに30年を迎える今この時期、その評価は定まっていませんが、多くの人の経済環境への感想や感覚は「失われた30年」に合致するのではないかと思います。

しかし、世界に目を向けると、日本が足踏みしていた30年で大きく様変わりしました。米国ではＩＴ産業が興隆し、その代名詞といえるＧＡＦＡ（Google、Apple、Facebook、Amazon）が経済だけでなく世界秩序に大きな影響を及ぼしています。近隣では中国が急激な経済成長を遂げ、国家主導の強いリーダーシップでＩＴをはじめあらゆる産業で影響力を強め、経済支援を通じて周辺各国の政治・経済に強く干渉するまでになっています。日本がかつて世界に輸出していた半導体製品や家電製品は、中国・韓国・台湾などのメーカーが競争力をもつようになり、日本のシェアは低下し続けています。日本もグローバル化・国際化に対応してきたものの、変化のスピードや規模は世界と比べて過少だったため、世界に立ち遅れ足踏みをしてきた形となりました。日本オリジナルの大きなイノベーションも起きておらず、この状態はまさに「空白の30年」といってよい状況です。

短期的な成果を求められる経営層

なぜ日本には社会を変えるような大きなイノベーションが起こらなかったのでしょうか——「ジャパン・アズ・ナンバーワン」の時代を体感していた経験から振り返ると、日本企業でイノベーションが失われた理由は企業に余裕がなくなってしまったからだと感じます。

米国でのイノベーションを巡って、よく語られるのが「余白時間」の重要性です。米国企業における勤務条件の特徴として、フレックスタイム制を導入している企業が多いことが挙げられます。仮に今日本企業が同じ取り組みをしたとして、同様の成果が出るとは思いませんが、かつて日本製品が世界中で買われていた時代には、企業のなかに自由な発想を形にするゆとりが確かにありました。

私は当時所属していた松下電器産業で「発明発想推進活動」を展開し、研究者・技術者が新たな着想を発明に昇華させ、どんどん特許を取ることを推奨していました。もちろん、こ

【図表1】「発明」＝考える経営

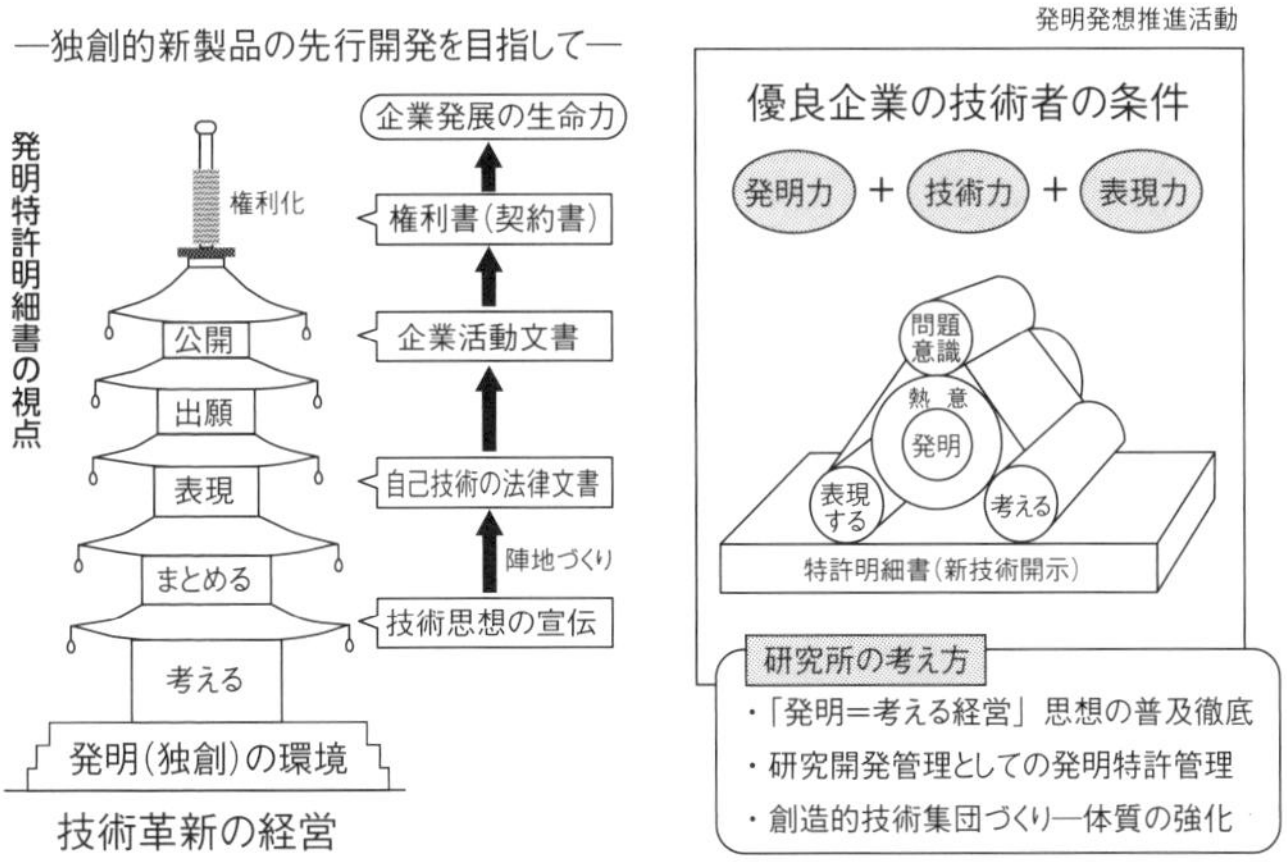

著者作成

れは所属企業の強い後押しがあったからこそ実現できたことです。社外を見渡しても、１９８０年代は数多くの企業が研究開発費の予算を潤沢に用意し、研究を多角化するとともに研究員を増やしていた時期で、研究所の新設も多かったと記憶しています。そのような光景はその後の30年を経て見ることができなくなりました。

今の日本ビジネス界は効率化とコストカットばかりを優先する傾向があり、短期集中的に資本を投下し、効率的かつ短期間で結果を出すことばかり求めています。そのため長期的な視点に立った投資が活発には行われていない現状があります。

かつての日本企業では、安定株主が多く内部出身の経営者の裁量が高いという、とかく内向きな、いわゆる日本的経営が主流でした。一方で、かつてのメーカーのカリスマ経営者は技術系出身者が多く、研究開発に積極的な傾向があり、安定株主と企業の増収・増益を背景に長期的な視野で研究開発投資を続けていました。

この環境は、今や大きく変化しました。株主が非常に強い発言権をもつようになり、企業の経営は株主の要望を受けて短期的な成果を求められるようになっています。以前のように技術畑の出身者ではなく、プロ経営者と呼ばれる経営専門人材が経営者に抜てきされることも増えました。短期的に成果を出すため優先されたのは、かつて存在したゆとりを削り取ることです。１９９０年代と２０００年代は経営改革のキーワードとして「選択と集中」がもてはやされ、研究開発でも注力分野が絞り込まれ、重要な研究開発以外の分野で生まれたアイデアを形にする機会はどんどん失われていったのです。

【図表2】　世界研究開発費総額

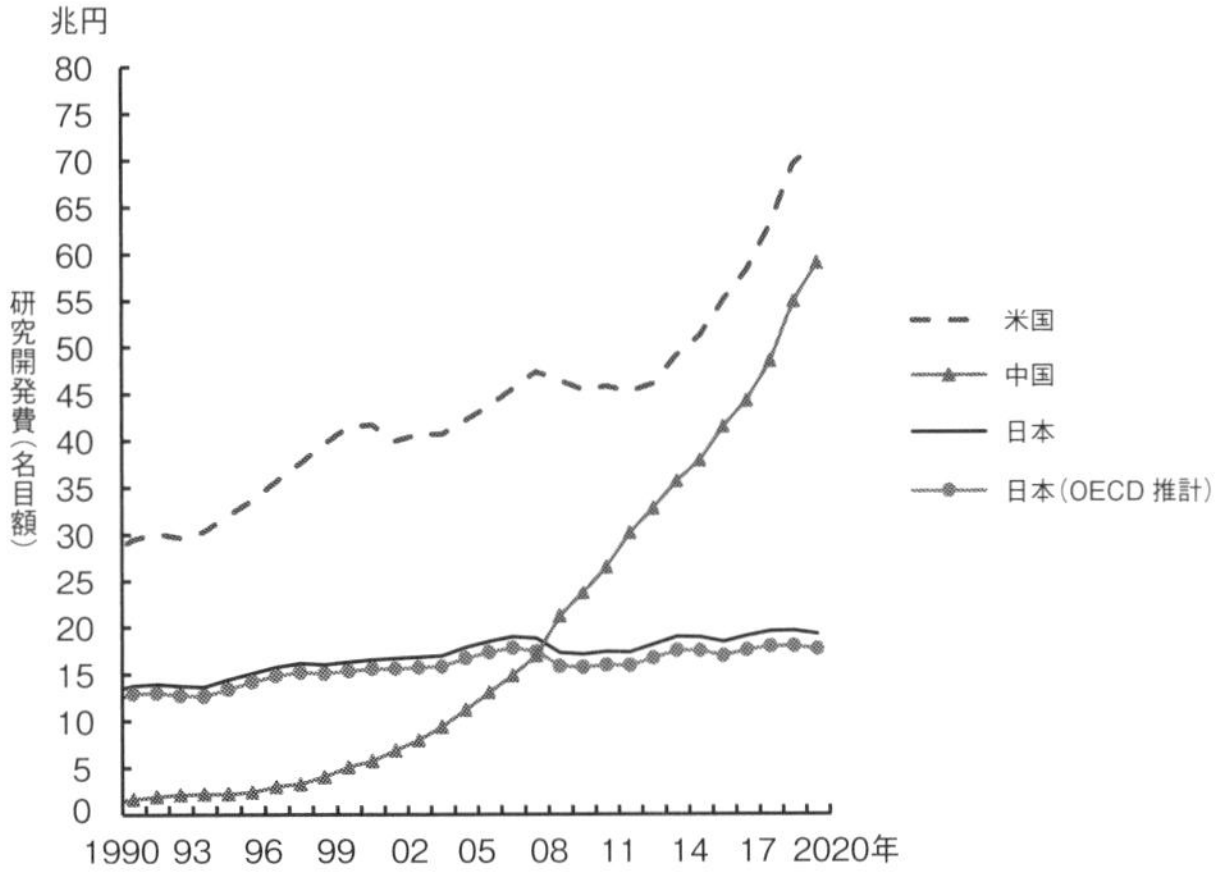

出典：文部科学省科学技術・学術政策研究所（NISTEP）の「科学技術指標 2022」を基に著者作成

伸び悩む日本の開発投資

「選択と集中」の結果は、日本の研究開発の予算全体にも見て取ることができます。日本の研究開発費は直近30年間伸び悩み続けています。

世界主要国の科学技術に関する研究活動を分析した文部科学省科学技術・学術政策研究所（NISTEP）の「科学技術指標2022」によると、2020年の国内研究開発費総額は17・6兆円で米国、中国に次ぐ世界3位でした。しかし、この30年で米国はその研究開発費を約2・5倍に、中国は約23・5倍に研究開発費を

【図表3】 研究者数の推移

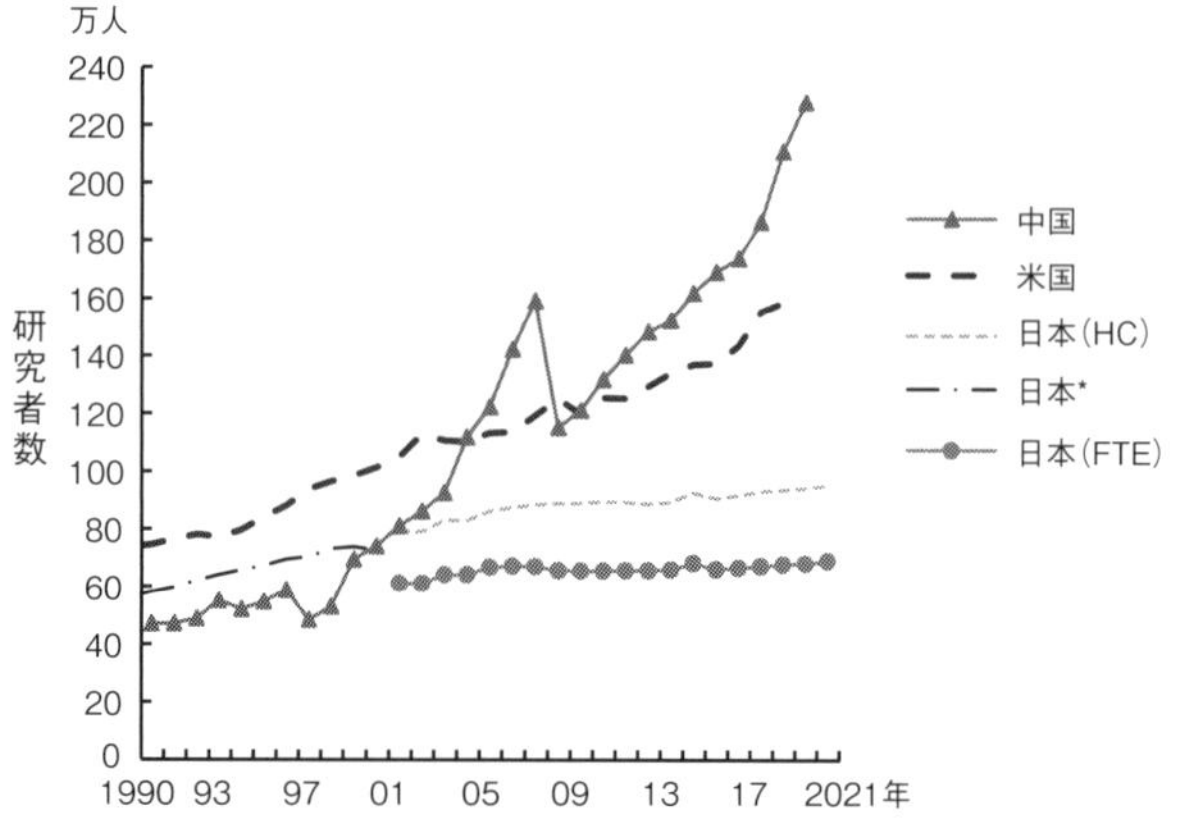

出典：文部科学省科学技術・学術政策研究所（NISTEP）の「科学技術指標2022」を基に著者作成

増加させていますが、日本はほぼ横ばいとなっています（図表2）。

企業に絞れば、日本経済新聞社が実施した2019年度の「研究開発活動に関する調査」では、トヨタ自動車が過去最高となる1兆1000億円を研究開発に投資し、電動化や自動運転などの研究開発に充てています。研究開発費の上位10社のうち、第2位は本田技研工業、3位は日産自動車と自動車会社がトップ3を占め、各社が世界の新潮流である電動化や自動運転の競争に挑む姿勢が見えます。しかし、これらの巨額の研究開発費も世界のトップを走るグローバル企業には遠く及びません。2018年の企業別の世界の研究開発費ランキングでは、1位のAmazonが約3兆円（288億ドル）を研究開発費に充て、もはや日本企業が資金力で世界と

【図表4】 国・地域における論文

国・地域別論文数、Top10％およびTop1％補正論文数：上位国・地域（自然科学系、分数カウント法）

＜論文数＞

全分野	1998−2000年(PY)(平均)		
国・地域名	分数カウント		
	論文数	シェア	順位
米国	203,669	27.9	1
日本	64,752	8.9	2
ドイツ	51,597	7.1	3
英国	51,053	7.0	4
フランス	37,657	5.2	5
イタリア	24,707	3.4	6
カナダ	24,320	3.3	7
中国	22,549	3.1	8
ロシア	22,351	3.1	9
スペイン	17,140	2.3	10

全分野	2008−2010年(PY)(平均)		
国・地域名	分数カウント		
	論文数	シェア	順位
米国	246,188	22.7	1
中国	107,955	10.0	2
日本	64,783	6.0	3
ドイツ	58,095	5.4	4
英国	54,116	5.0	5
フランス	42,811	4.0	6
イタリア	36,858	3.4	7
インド	35,150	3.2	8
カナダ	34,913	3.2	9
韓国	31,650	2.9	10

全分野	2018−2020年(PY)(平均)		
国・地域名	分数カウント		
	論文数	シェア	順位
中国	407,181	23.4	1
米国	293,434	16.8	2
ドイツ	69,766	4.0	3
インド	69,067	4.0	4
日本	67,688	3.9	5
英国	65,464	3.8	6
韓国	53,310	3.1	7
イタリア	52,110	3.0	8
フランス	45,364	2.6	9
カナダ	43,560	2.5	10

＜Top10％補正論文数＞

全分野	1998−2000年(PY)(平均)		
国・地域名	分数カウント		
	論文数	シェア	順位
米国	30,710	42.1	1
英国	6,071	8.3	2
ドイツ	4,991	6.8	3
日本	4,369	6.0	4
フランス	3,609	4.9	5
カナダ	2,842	3.9	6
イタリア	2,128	2.9	7
オランダ	1,814	2.5	8
オーストラリア	1,687	2.3	9
スペイン	1,398	1.9	10

全分野	2008−2010年(PY)(平均)		
国・地域名	分数カウント		
	論文数	シェア	順位
米国	36,910	34.1	1
中国	9,011	8.3	2
英国	7,420	6.9	3
ドイツ	6,477	6.0	4
フランス	4,568	4.2	5
日本	4,369	4.0	6
カナダ	4,078	3.8	7
イタリア	3,450	3.2	8
オーストラリア	2,941	2.7	9
スペイン	2,903	2.7	10

全分野	2018−2020年(PY)(平均)		
国・地域名	分数カウント		
	論文数	シェア	順位
中国	46,352	26.6	1
米国	36,680	21.1	2
英国	8,772	5.0	3
ドイツ	7,246	4.2	4
イタリア	6,073	3.5	5
オーストラリア	5,099	2.9	6
インド	4,926	2.8	7
カナダ	4,509	2.6	8
⋮	⋮	⋮	⋮
日本	43,560	2.5	12

＜Top1％補正論文数＞

全分野	1998−2000年(PY)(平均)		
国・地域名	分数カウント		
	論文数	シェア	順位
米国	3,681	50.5	1
英国	622	8.5	2
ドイツ	445	6.1	3
日本	333	4.6	4
フランス	310	4.2	5
カナダ	258	3.5	6
オランダ	181	2.5	7
イタリア	163	2.2	8
スイス	155	2.1	9
オーストラリア	152	2.1	10

全分野	2008−2010年(PY)(平均)		
国・地域名	分数カウント		
	論文数	シェア	順位
米国	4,459	41.2	1
英国	818	7.6	2
中国	696	6.4	3
ドイツ	642	5.9	4
フランス	419	3.9	5
カナダ	411	3.8	6
日本	351	3.2	7
オーストラリア	301	2.8	8
イタリア	279	2.6	9
オランダ	278	2.6	10

全分野	2018−2020年(PY)(平均)		
国・地域名	分数カウント		
	論文数	シェア	順位
中国	4,744	27.2	1
米国	4,330	24.9	2
英国	963	5.5	3
ドイツ	686	3.9	4
オーストラリア	550	3.2	5
イタリア	496	2.8	6
カナダ	451	2.6	7
フランス	406	2.3	8
インド	353	2.0	9
日本	324	1.9	10

出典：文部科学省科学技術・学術政策研究所（NISTEP）の「科学技術指標 2022」を基に著者作成

戦うことが難しくなっているのです（科学技術・学術政策研究所HPより）。

同様のことは、日本が抱える研究者数からも見て取れます。「科学技術指標２０２２」（ＮＩＳＴＥＰ）によると、日本の研究者数は１９９０年代以降ほぼ横ばいである一方、中国や米国では著しく伸びています（図表３）。

この結果は、日本の論文数とその評価にも影響を及ぼしています。日本の論文数は１９８８年と２０２０年を比べるとほぼ横ばいで推移し、台頭してきた他国の論文数に及ばず、順位を落としています。引用が多い論文の数を見れば日本の研究開発分野の影響力低下はさらに顕著で、上位１％、上位10％の被引用率をもつ補正論文の数は順位を大きく落としてしまっています（図表４）。

得意な技術改良で行き詰まる日本

世界トップ企業の研究開発費の伸びは、日本企業の今後に暗い影を落としています。かつて、日本が得意としていた技術改良の余地が近年どんどん少なくなっているのです。

「ガラパゴス化」との言葉で皮肉られた現象ではありますが、日本の家電製品はかつて世界随一ともいえる性能の高さを誇っていました。経済環境の変化により市場では性能の高さよりも安さが求められるようになった結果、日本の家電メーカーは競争力を失いましたが、かつてはモノに対する技術改良力の高さが日本企業の競争力の根源となっていたのです。

今は家庭に1台が当たり前となっている電子レンジは、もともと第二次世界大戦で用いられたレーダー開発技術を応用し、米国で発明されました。この電子レンジを家庭用に技術改良し新たな市場を創出したのは、日本のメーカーによる成果といえるのです。

1960年代後半に日本の電機メーカー各社で販売が開始された家庭用電子レンジは、

メーカー各社の激しい開発競争により、普及の誘因となるさまざまな性能が搭載されるようになりました。今では当たり前のように世界各国の電子レンジに搭載されているターンテーブルや安全確保のためのドアロック、センサーによる温度調節機能などはこの時期に生まれたのです。１９８０年代には、日本の家庭用電子レンジの普及率は世界一となり、日本の電子レンジは世界各国でも高いシェアを誇るようになったのです。

同様の技術改良は、液晶ディスプレイ、リチウムイオン乾電池、デジタルカメラなどにも応用され、１９９０年代初頭まで優れた機能をもつ製品が世界各国の市場を席巻していました。日本のお家芸ともいえる研究・開発の特徴が世界に通用していたのです。

しかし今、日本の技術改良による成功体験を見聞きすることが少なくなりました。現在、世界の研究開発競争は、宇宙産業技術開発や自動運転、量子コンピューター、次世代通信など巨額の研究開発費を必要とする分野ばかりが舞台で、その成果をもち帰って国内向けに技術改良を施すというモデルはもはや通用しなくなっています。宇宙開発での日本の技術改良事例として、低予算ながら知恵を絞って最大の成果を狙った小惑星探査機「はやぶさ」が引き合いに出されることもありますが、あくまで低予算ながら工夫して幸いにも成功に導けた事例に過ぎず、日本が世界の宇宙産業技術開発で大きな影響力を得たかといえばそうではありません。

【図表5】 主要国の技術貿易額の推移

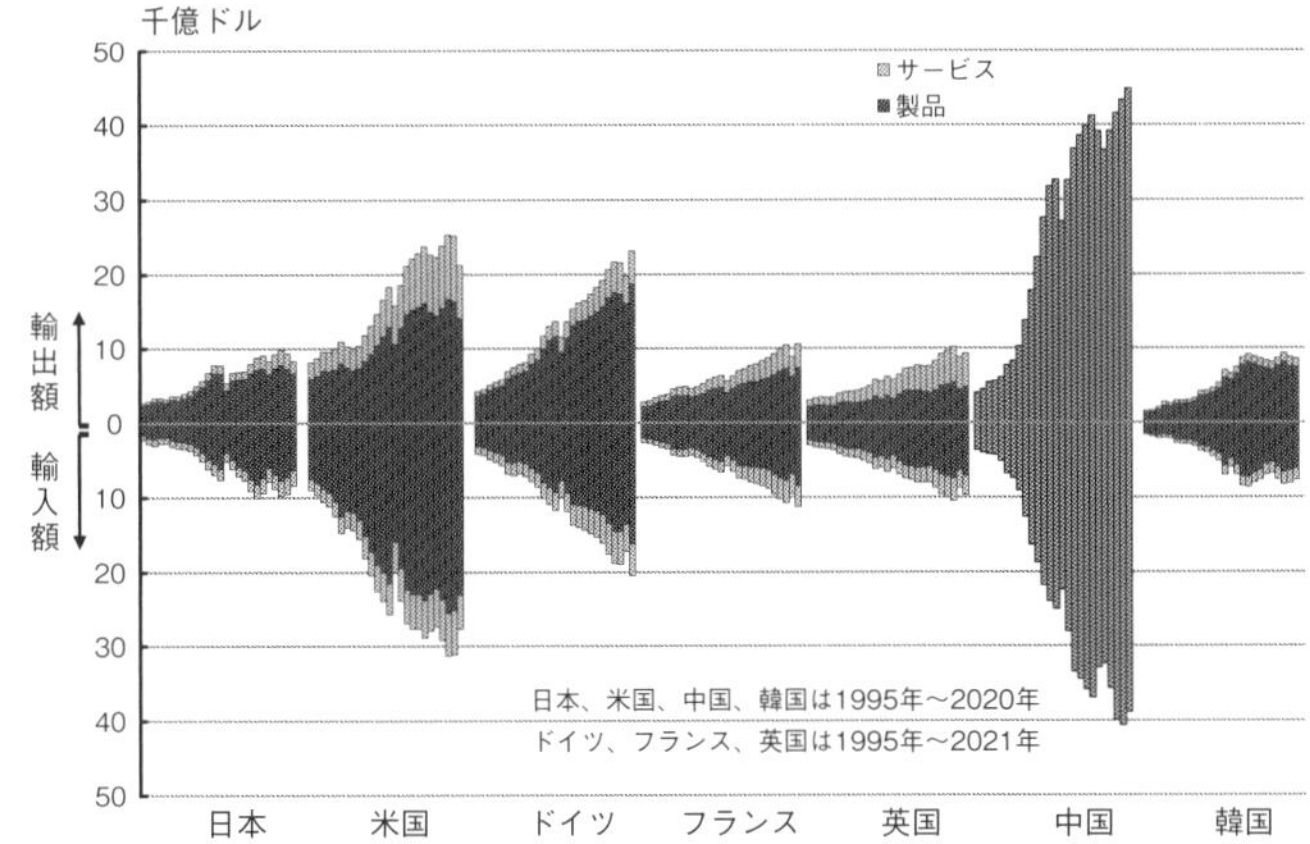

出典：文部科学省科学技術・学術政策研究所（NISTEP）の「科学技術指標 2022」を基に著者作成

失われたイノベーションの影響は10年後に

しかし現在、日本企業の経営に研究開発投資の不足や技術改良の行き詰まりが影響を大きく及ぼしてはいないように見えます。その証拠に諸外国間との特許権、ノウハウの提供、技術指導など技術の提供や受け入れを示す日本の技術貿易額は長期的に見れば増加したまま高止まっており、輸出超過の状況にあるからです（図表5）。その規模は米国や中国、ドイツと比較すると小さいものの、大きく減少しているとはいえません。東証上場企業の２０２２年３月期決算の推計も、直近の円安も手伝って約36兆円となり、国内の3社に1社が過去最高を更新しています。

しかし、これらの実績は今現在の研究開発の成果を反映したものではありません。企業が保有する特許権の存続期間は20年間です。世界の大きなシェアを握るグローバル企業と渡りあえているとはいえないものの、足元では好調である企業の現業績は2000年代初頭からその後15年ほどに獲得された技術やノウハウ、特許に支えられているといっても過言ではないのです。

日本企業の業績面で現在の研究開発分野の競争力の低下が顕著に表れてくるのは、約10年後です。すでに技術貿易額が伸び悩んでいる点から、失われた30年の影響は徐々に顕在化しているともいえますが、日本企業の体力が試されるのはまさにこれからといってよいのです。

世界の先端分野に投資できない日本

研究開発で資金力が不足して競争力を失いつつある日本で近年もてはやされているのが、コアコンピダンス技術（以下、コア技術）への回帰です。高度経済成長期やその後の黄金期を支えた企業の技術をコア技術として位置付け、受け継いで改善を加えることで再び日本国内やグローバル市場で優位に立っていこうという動きです。

こうした戦略で新たな市場を切り開き経営の柱とした事例として、日本の大手精密機器メーカーが挙げられます。このメーカーはレンズやセンサー、映像・画像処理といった事業に直接つながるコア技術と、応用転用が可能な光学、電子、情報処理という基盤要素技術を組み合わせることで近年は製品、サービスの多角化に取り組んでいました。従来のカメラ、ネットワーク複合機、インクジェットプリンター、レーザープリンター、光学機器事業に加え、近年はメディカルシステム、ネットワークカメラ、商業印刷、産業機器関連企業を買収し、自身のもつ既存技術と融合することで、新たな経営の柱としたのです。

こうした経営戦略は今の時代を、技術のシーズ（種）を創出・育成する、発明型の研究開発により次々と画期的な製品が生み出され生活が豊かになり社会を変えてきた時代から、さらに一歩進んだ時代における新しい手法だととらえています。グローバリゼーションの進展により、環境問題など多くの社会課題が顕在化し、技術がそれに応える時代になった現在は、自身のもつコア技術と応用技術を社会のニーズに合わせて提供することこそが正解だと考えているのです。

この考え方は正しいと私も考えます。かつて主力だったカメラ事業から多角化を図った経営の転換も賞賛されるべきです。主力事業が社会の生活スタイルの転換により縮小するなか、グローバル社会を生き抜くための優れた戦略と実行だと思えます。

しかし、社会のあり方を大きく変えるのは、いつの時代でも発明型アプローチです。流通のあり方を大きく変えたAmazonや電気自動車の普及版を開発したTesla、コストを抑えた民間型航空機を開発したスペースXなど、世界的にも発明が重視されてきています。

企業としての継続性や経営の合理性を図るため、コア技術に基づいた研究・開発を展開することと自体は決して否定されるべきではありません。しかし、日本企業の競争力をさらに飛躍させるためには、社会を変え新たなニーズを一から生み出すような、発明の重要性こそ忘れてはいけません。私は、本当に今の時代で発明型アプローチの必要性は薄れたわけではないと思います。

コア技術なくしてM&Aは成り立たない

新たな市場を切り開き経営の柱とした大手精密機器メーカーのように、自社のもつ応用技術を拡大するためにすでに技術やノウハウ、市場をもつ他社を買収して短期間で業績を拡大する手法はスタンダードになりました。日本企業のM&Aの件数は、リーマンショックや東日本大震災による一時的な不況で落ち込んだものの、1985年と2021年を比較すると、約16倍に増加しています（図表6）。この数にはもちろん中小企業の後継者不在を解決するためのM&Aなども含まれますが、多くは買収側の事業を短期間で拡大するために行われます。

しかし、どの企業もこの手法を用いて新規事業の技術を伸ばして市場を開拓できるわけではありません。今後も社会にインパクトを与えられるようなコア技術を自社に保有している

【図表6】 1985年以降のマーケット別M&A件数の推移

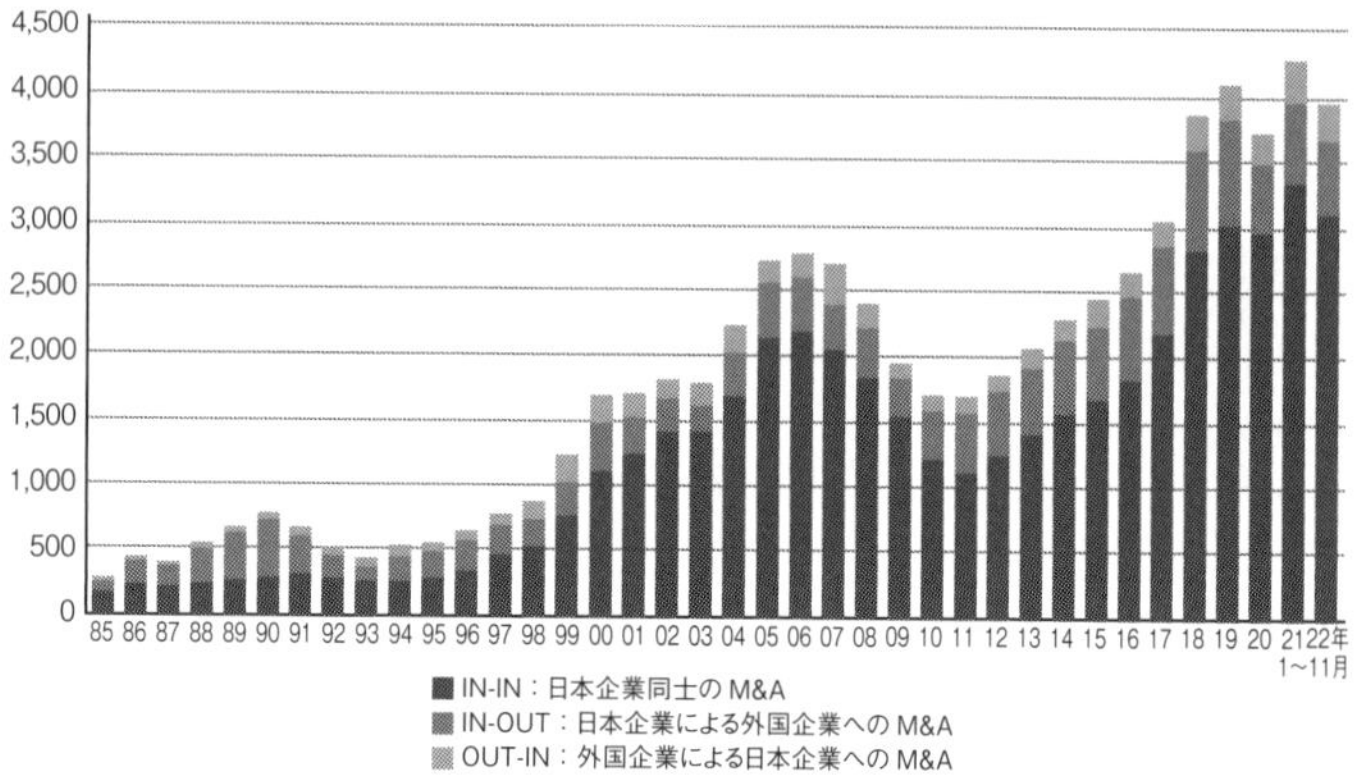

出典：MARR Online「グラフで見るM&A動向」を基に著者作成

からこそ、その技術と買収先の技術、保有するマーケットを融合することで新たな市場開拓ができるのです。この技術がいくら会社のレガシーとなるようなものであっても、時代にそぐわずに市場を開拓できなければ意味がありません。そのために社会にインパクトを与えることができる技術を常に保有していなければならないのです。

コア技術は一般的に競合他社との間で差別化ができ、優位性が得られるものとされています。しかし、社会の変革サイクルが速い現在、少し前まで優位だったはずの技術が陳腐なものと化してしまうスピードは非常に速くなっています。時に大きな社会変革があった場合には、保有する技術の市場自体が消えてしまうことも十分にあり得ます。そうなってしまった場合には、いくらレガシーといえる技術を保有していたとしても、M&Aをしたところで新たな市場を開拓することはできません。

企業が継続的に競争力を維持するために必要なのは、現状のコア技術を大切にしながら、常に次の柱となる新たな技術やノウハウの種を発明することです。かつてレガシーと呼ばれる事業と技術をもちながら、そのコア技術を新たなものに切り替えた事例は多々あります。

本業の軸をミシンや編み機からファクスや小型複合機に転換していったブラザー工業、繊維主体の事業からエレクトロニクス、ブレーキ、紙製品、化学品、メカトロニクスなど多くの主力事業を抱え支え合う形に転換した日清紡ホールディングスなどは、既存事業が順調なうちに新たな技術を開発し、既存事業を核としながらM&Aを繰り返して事業を拡張させてきています。

スタートアップに寄せられる過大な期待と現実

新規分野の技術開発を求める企業が期待を寄せているのが、スタートアップ企業です。企業内のしがらみにとらわれず、保有する技術やそのアイデアを基に開発とビジネスを展開するスタートアップ企業と協業しようと、多くの企業がスタートアップ企業に投資し、スタートアップ投資という一つのジャンルを築いています。これは出資を通じた新規事業の育成や協業による中核事業の強化を、自社開発よりも大幅にコストを抑えて実現することを見込んでのことです。近年では製品開発や技術改革、研究開発組織改革で自社以外の組織や機関などがもつ知識や技術を取り込む「オープンイノベーション」が経済産業省により推進され、スタートアップ企業に資金が流れやすくなりました。

一方で、これまで日本の大企業は研究開発の自前主義の傾向が強いとされてきました。経済産業省の資料によればスタートアップ企業の技術を取り込むよりも自社の研究開発を優先したり、スタートアップ企業の技術への投資にあたって100％成功を求めたり、スタートアップ企業を買収する際の企業価値や株価について合意ができないなどの問題があるといわれています。

また日本ではスタートアップ企業の技術を取り込んで大企業が新規事業の核として成功した事例はまだありません。それだけ、他社から自社に適した技術を取り込むことは難しいのです。日本ではソニーや花王の事例のように大企業の技術をスタートアップ企業に提供しアイデアを求めるものが多く、研究開発の自前主義からは抜け出せていないように見えます。

多くの大企業では社内ベンチャーの立ち上げも盛んに行われています。企業内の技術に精通した社内人員が、旧来のしがらみにとらわれず新たな収益源を獲得しようと模索していきます。しかし、社内ベンチャー制度がうまく機能したという話はあまり聞きません。

社内ベンチャーで事業として成り立った事例としては、大半がサービスの開発やマッチング事業で、新たな技術開発ではありません。大企業の豊富な資金力を活用しているのに、技術面での新規性を生み出すに至っていないのです。

この現象はよく考えてみれば当然のことです。身分も給与も保障されている社内で研究開発していくことは、一般的な研究開発と変わりません。また、その技術を核にした新規事業創出についても、大企業の豊富な資金を背景にしている場合は、経営者が真に考え抜いて必死にその技術を創出するイノベーションほどのレベルにはとても至らないからです。本当に価値のある技術を見いだすには、資金繰りに苦労しながら自ら活路を導き出すしかないのです。大企業で身分を保障された状態ではなく、まさに背水の陣で挑んで必死に模索を続けなければ技術の種（シーズ）や新たな販路など見いだすことはできません。

スタートアップ企業による技術の創出を企業の新たなコア技術として取り込むことも、社内ベンチャーによる新たな技術やその活用法の創出も難しいのであれば、結局は自前の研究開発が頼りです。これまで研究開発に取り組んできた企業には豊富なデータの蓄積があり人員がいるはずです。社外や新規事業に目を向ける前に、こうした既存の経営資源から新たな技術の種を生み出すことに目を向けることも時には必要です。

第 2 章

質を追求した“つもり”の
誤った知財戦略がもたらす
知的財産部門のコストセンター化

特許出願数が低下し続ける日本

２００２年2月に当時の小泉純一郎首相は国会の施政方針演説で「知的財産戦略会議を立ち上げ、必要な政策を強力に推進する」と述べました。これは「知的財産立国宣言」とも呼ばれ、政府による知的財産保護の大きな旗振りが始まりました。その後、同年3月には小泉首相を本部長とする知的財産戦略会議が設けられ、同年7月には戦略会議により設けられた委員会で「知的財産戦略大綱」が発表され、これが日本で知的財産政策の基本となりました。その点で、同年は国内の知的財産の流れが大きく変化した年といえます。

これまでさまざまな施策が実行され、知的財産制度面の充実が図られてきました。日本企業も知的財産を経営資産として重視し、知的財産戦略に力を入れるようになってきたのです。

しかし、20年が経過した現在、その成果は少しいびつな形で表れています。日本国内の特許出願件数は、２００５年頃は40万件を超えていたのに、２０２０年には30万件以下に減少

【図表7】 日本の特許出願数とGDPの推移

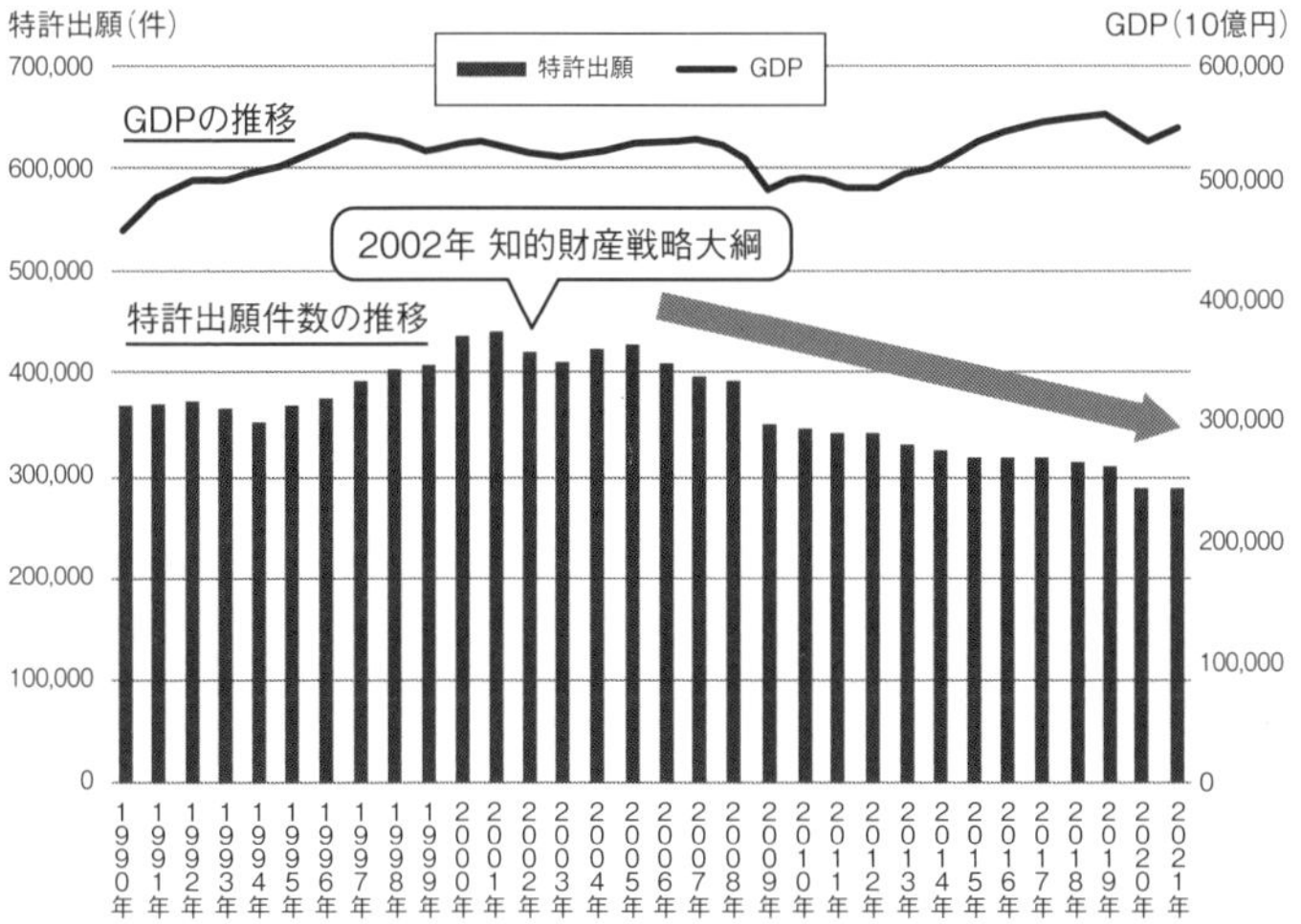

著者作成

してしまったのです(図表7)。

知財立国が声高に叫ばれ、国によるさまざまな施策が実行されてきたにもかかわらず、特許出願数が低下した現象はいかにも不思議に見えます。特許出願数が減少した要因についてはさまざまな分析がありますが、そのいずれもが推測の域を出ません。

私は、その理由の一部は特許関連業務の高度化にあると推測しています。

グローバル化へ向かう知財業務

日本国内の特許出願数の減少とは対照的に増加しているのが、日本企業によるPCT国際出願です。基本的に国際出願をする場合は、本来であれば各国それぞれの特許法に基づき、その国に対して出願しなければなりません。それが、特許協力条約（PCT：Patent Cooperation Treaty）に基づく国際出願制度を使えば、一つの出願願書を条約に従い提出することで、PCT加盟国であるすべての国に同時に出願したことと同じ効果を与えることができる制度です。

我が国のPCT国際出願の数は、2001年は1・2万件弱だったのが、2020年には5万件超と4倍強となっています。ここから、日本の特許出願数が減少した要因の一つは、PCT国際出願を中心とした海外特許業務に労力を割いているからだと考えることができます。

しかし、15年間で14万件も出願数が減少した状況については、特許出願のグローバル化だけでは説明がつきません。この要因は日本企業で知財への姿勢と取り巻く環境が変化したことにあるとも考えられるのです。

かつて特許出願増加の要因となった「陣地取り」の特許活動

まず、2000年代初頭まで特許出願が増加していた要因について考えます。高度経済成長期、特許出願の増加を支えたのは特許を活用した技術の陣地取りでした。

私の出身母体である電機業界を例に説明すれば、1954年から1973年までの高度経済成長期の特許権に係る取り組みは、活発な異議申立による権利の排斥活動や無効資料調査に基づく無償許諾の申し入れ、相互無償クロスライセンスが主でした。特許権に関連して大きな金額が動くような事件がほとんどなかったため、特許業務の中心は新しい技術開発や製品開発に基づいた出願活動で、盛んに出願をすることによって技術の陣地取りをすることが

【図表8】　特許制度と企業メリット

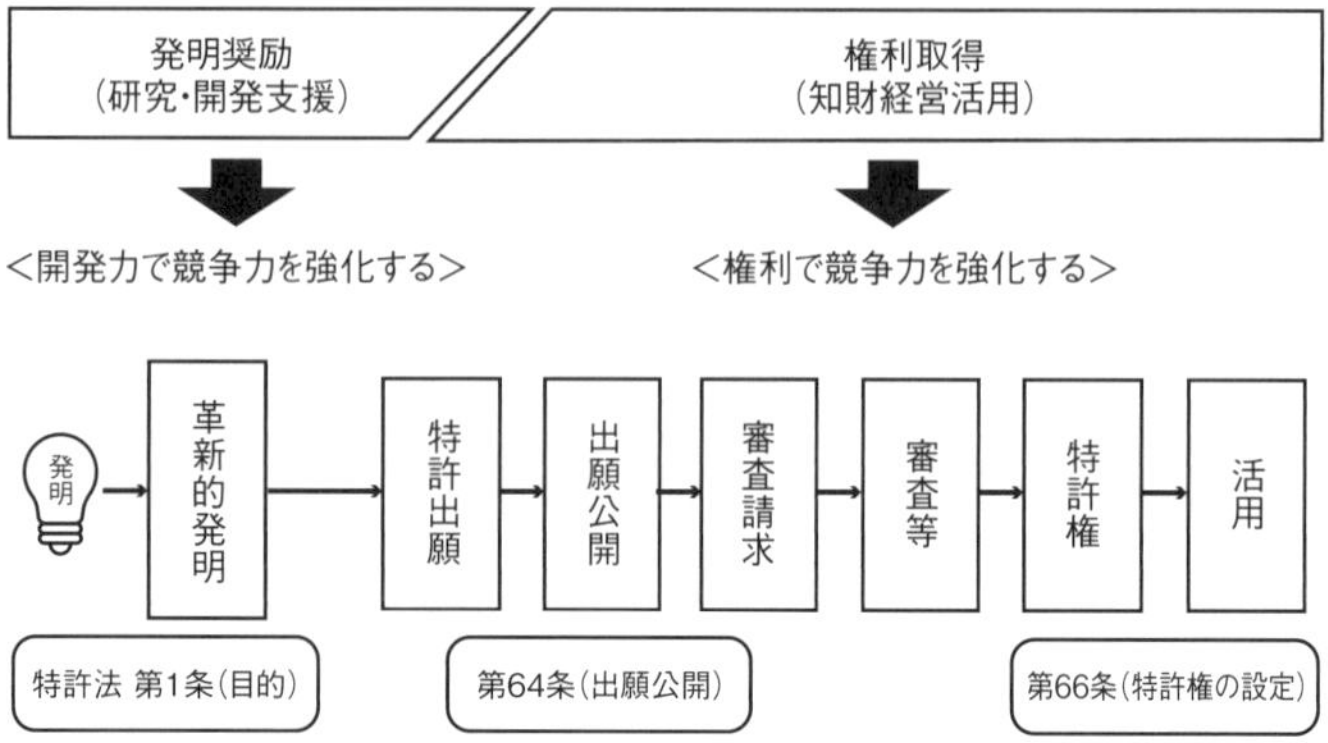

著者作成

重要とされていました。

陣地を多くとるためには、より多くの特許を出願するしかなかったのです。当時の特許部・知的財産部門は研究・開発部門に対して発明発想活動の奨励や出願の促進のための啓発や発明リエゾン活動を主たる業務としていました。国内企業の多くは、日本の特許制度が始まった日にちなんだ4月18日の発明の日には、発明を奨励して重要性をPRする、さまざまなイベントを活発に開催していたものです。

高度経済成長期の特許活動はまさに技術開発の促進に軸足を置いたものでした。特許出願を積極的に展開することで開発技術の陣地取りをして、企業はそこで得た権利の活用による利益の享受が期待できるようになるという大変にシンプルなモデルです。

この結果、日本では電子機器や機械分野を中心に特許出願が増加していきました。しかし、日本のこうした環境は米国のヤング・レポートとその後の米国企業や発明者からの特許攻勢により変化していきます。

日本企業の意識を変えた米国のプロパテント政策

ヤング・レポートとは、当時のヒューレット・パッカード社のジョン・ヤング社長を委員長とする米国の産業競争力に関する大統領委員会により1985年に出されたものです。レポートでは、米国企業の産業競争力を強化させる方策の一つとして知的財産の保護が挙げられ、海外で米国の知的財産権が十分に活用されていないために、米国は数百万ドルに及ぶ被害を受けていると報告され、米国産業界に大きな衝撃が走りました。

当時は、日米の貿易摩擦がピークを迎えていました。1985年には米国上院が日本を不公正貿易国として圧倒的多数で決議しています。その秋にはドル高を是正するプラザ合意があり、レーガン大統領は通商法301条を発動し、日米半導体協定違反として日本側に対する報復措置が決定されています。その後、パソコン・カラーテレビ・電動工具の3品目には100%の報復関税が掛けられました。

　1986年には大統領声明で知的財産保護のために2カ国間および多国間交渉の必要性が訴えられています。1988年には包括通商・競争力強化法が米国議会で認められ、産業競争力向上のためのさまざまな施策が進められました。この結果、米国の特許法は改正され、米国外であっても米国で特許が認められた製造方法を使って製造された製品が米国内に輸入される際に特許権の効力が及ぶことになったのです。

　これらの流れを受けて発生したのが、米国企業による日本企業への巨額の特許訴訟です。1987年には、日本のミノルタが自動焦点のカメラに関する特許侵害の疑いで、米国のハネウエルから訴訟を起こされました。米国での裁判の結果、ミノルタは特許権を侵害したとして9635万ドル（約116億円）の損害賠償の支払いを命じられました。ミノルタは1992年になって判決が出る前に1億2750ドル（約165億円）を支払って和解したものの、この巨額の賠償額や和解額は日本の産業界に大きな衝撃を与えました。

　1992年には米国人のジェローム・レメルソン氏による日本企業へのサブマリン特許の活用も問題になりました。当時の米国の特許制度には特許公開制度がなかったことを利用し、補正手続きや継続出願を繰り返して特許成立までの期間を長くし、出願内容が長い期間公開されない状態としたのです。特許権の取得を先送りすることで、その技術が普及するのを待ち、特許権を取得すると公開し、利用者に多額の特許実施料を請求するという手法がたびたび用いられました。日本の自動車メーカーの11社はこのサブマリン特許の手法によりレメルソン氏から特許料の支払請求を受け、結果として訴訟前に和解金約1億ドル（120億円）を支払ったと伝えられています。

1991年には国内最大級の特許訴訟と呼ばれるキルビー特許訴訟がテキサス・インスツルメンツと富士通の間で起こりました。テキサス・インスツルメンツは、比較的単純な集積回路である「ジャック・キルビーによる集積回路」の特許について、富士通が権利を侵害しているとしてライセンス料支払いを求めました。富士通は自社の製品がその特許に抵触していないと主張し、特許を抵触していないことを確認する訴訟を起こし、地裁、高裁、特許庁審決、最高裁まで争われた結果、富士通の侵害がないことが認められました。しかし、同様のライセンス料請求は日本の半導体メーカーに対しても行われ、結果としてその費用は莫大なものとなりました。

この事件では、先行はしているものの単純な特許により技術が普及したあとに権利侵害を主張するという特許権の行使が問題視されました。当時の日本の特殊事情として、日本では特許が認められるまで相当の年月を要し、その間に当該特許に抵触する技術を使用した半導体製品は膨大なものとなったため、結果として多額のライセンス料が課される構造があったのです。

これらの事件では、当時の日本企業が十分に米国の特許訴訟に慣れておらず、対応が後手に回った結果、大きなダメージを受けたり、和解に応じたりする事態となりました。この結果、日本の多くの経営者は特許についての意識を改革せざるを得なくなります。これまでは技術運営の一環に過ぎないと位置付けていた特許を、会社の業績に大きな影響を及ぼす重大な経営課題として認識するようになったのです。特許に関する経営者の意識は、発明を奨励するよりも権利に焦点が移り、特許は大きなリスクがある一方で、うまく運用すれば米国のように利益を得られるものとして認識されるようになっていったのです。

この流れと並行して、日本企業の活動がグローバル化するなかで、米国をはじめとする海外での権利取得の重要性が認識されるようになり、海外特許出願とＰＣＴ出願が増加していくことになりました。日本企業の特許業務が高度化する時代に入ったのです。

知財成長期の高度化と出願の精緻化

経営者の特許に関する意識が権利活用に転換したことで、日本の特許関連業務は出願を中心としたものから、大きく転換しました。他社の技術侵害に対する調査や、特許ライセンスの積極的活用、公開特許の自社開発への活用、出願戦略の立案、特許訴訟実務への対応など、特許に関するあらゆる側面の業務に習熟することが特許部・知的財産部門の業務とされ、まさに戦略的に特許業務を進める時代となりました。そのなかで、研究・開発部門が特許に関して担う役割も、これまでの出願中心だったものから拡大していったのです。

流れを後押しするように、特許庁の特許公開の手法も情報化の時代を背景により便利になっていきました。1984年から特許庁は特許行政全般の総合的コンピューター化、データベース化を図る「ペーパーレス計画」を策定し、実行に移してきました。そのなかでもインパクトが大きかったものが特許公報の電子化です。それまで紙でしか閲覧できなかった特許公報が1993年にデータ化され、CD－ROM特許公報による閲覧ができるようになり、飛躍的に検索性が上がりました。6年後の1999年にはインターネットによる無償の特許電子図書館（IPDL）が公開され、特許情報はいつでもどこでも便利に検索できるようになったのです。

1970年に出願公開制度が導入され、公開公報が発行されるようになってから、特許情報は貴重な競合他社の開発情報として、技術動向や企業動向、発明者の動向調査に活用されてきました。出願から約1年6カ月で特許情報が公開されるシステムとなったことにより、国内企業の開発競争はより加速し、戦略的になったのです。公開公報のチェックや活用は研究者・技術者の研究開発と発明活動と一体して行われるようになっていましたが、それが電子化、インターネットでの公開により促進されることになりました。

1998年にはパソコンでの電子出願が開始され、2005年にはインターネットでの出願、電子納付が認められるようになりました。情報化社会を背景に特許業務の利便性が飛躍的に上がり、他社特許情報の研究開発への応用がしやすくなったことから発明のサイクルも加速し、特許申請数は増加しました。まさに知財成長期とも呼べる状態となったのです。

現在、知財戦略に用いられているさまざまな手法も導入されることになりました。新たに電子情報により膨大な情報の取得・管理ができるようになった結果、行われるようになった

【図表9】 知的財産企業活動のトレンド

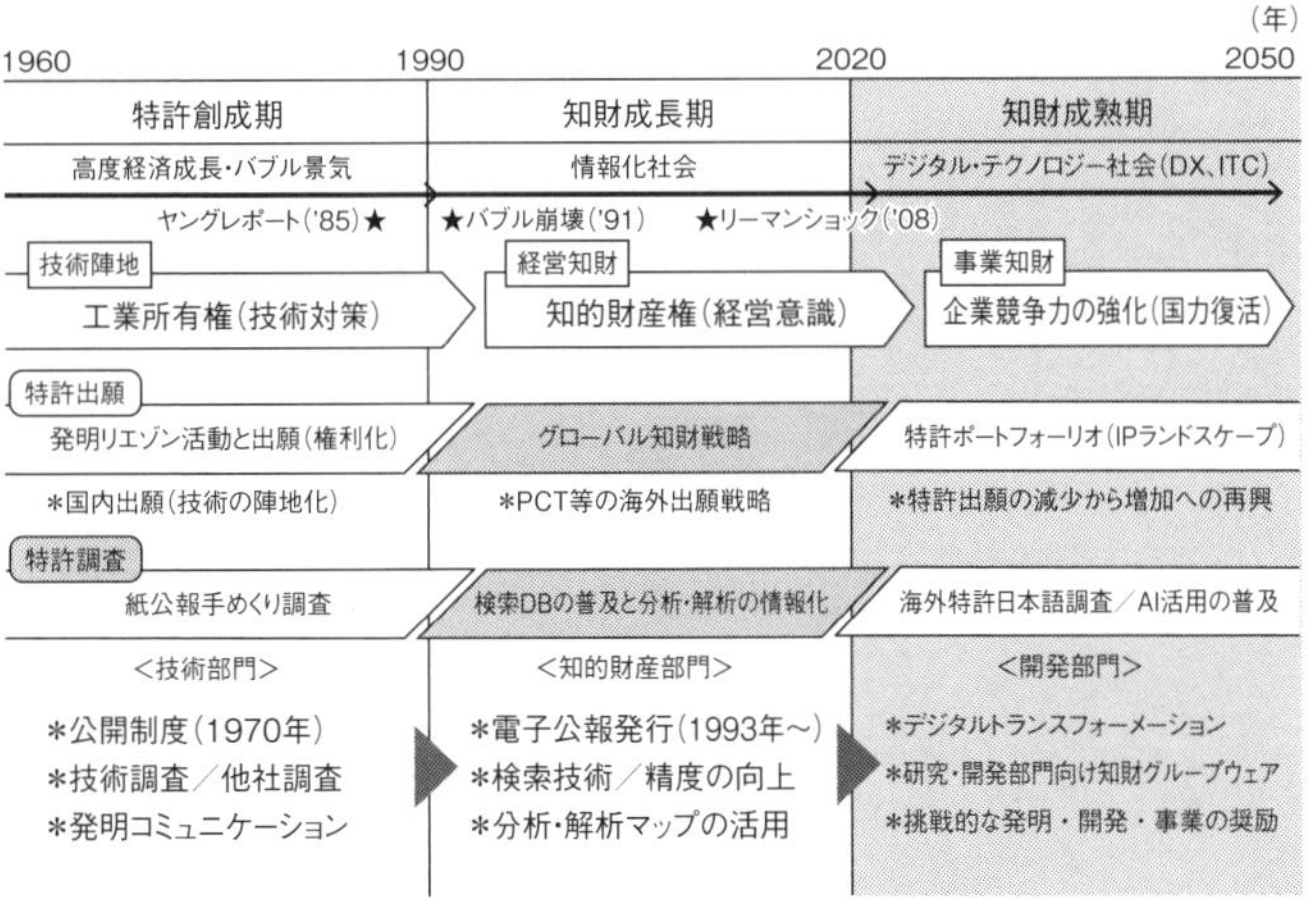

著者作成

のが特許マップの分析・解析です。特許マップは特許出願状況を調査した結果をグラフやマップ化したものです。そのマップを用いて自社事業に関連する領域にどのような競合が存在するかを把握し、その技術開発や事業展開について分析します。グラフやマップ化することで、視覚的な状況把握ができるため、特許マップは企業の事業戦略、知財戦略、研究開発戦略の策定や精緻化の過程で重要な参考資料の一つとして利活用されています。

その後、企業が出願・保有する特許を件数や技術分野、製品分野、出願・登録年別などで分類する「特許ポートフォリオ」を作成し、市場での自社の相対的なシェアを分析し、各製品のポジションを明確化する手法や、特許庁が旗を振り知財情報を経営戦略・事業戦略策定へ活用し、知財を重視した経営を展開する「ＩＰランドスケープ」などさまざまな手法や概念が生まれ、特許出願は技術の陣取りから、戦略的に効果的に行うものへと変化していきました。そのなかで出願1件ごとの効率性やコストパフォーマンスが厳しく評価されるようになったのです。

日本の知財力を低下させた思惑外れの戦略

高度な分析や戦略づくりを通じて特許出願の効率性を追求することは、日本の知財の歴史を振り返ると自然な流れだったといえます。しかし、特許出願1件ごとの効率性があまりに追求され過ぎた結果、２０００年代初頭まで増加傾向にあった特許出願数は減少傾向に転じ、その後減り続けることになります。

知財業務の高度化と特許出願の効率性の追求は否定されるべきものではありません。むしろ、知財業務が国際的に高度化した時代では不可欠の要素といえます。この流れを適切に後押しできれば、特許出願の効率性と出願の活性化の双方がもたらされ、日本の知財力は高まっていたはずです。しかし、現実はそうはなりませんでした。

日本の多くの企業では、知財が経営課題として認識されはしたものの、知的財産部門や研究・開発部門の知財業務に関して十分な予算が割り当てられているとはいえない状況です。また、特許ポートフォリオやIPランドスケープなどの分析手法は、本来であれば経営企画部門が主体となって分析し、企業の経営計画に盛り込んでいくべきものですが、多くの会社でこれらの分析は知的財産部門に任されているのが実情です。

高度化した知財業務を任されている企業の知的財産部門の地位も決して高いとはいえません。日本の知的財産部門の主たる業務は今も昔も特許出願業務とその管理であり、あまり高度な役割を期待されていない現状があります。経営陣も知財の重要性は時代の流れから認識しているため知的財産部門に期待をする言葉は掛けるものの、人員も予算もあまり割り振られないという状況は多くの企業に見られる光景だといえます。

知的財産部門の人員は決して潤沢ではなく、研究・開発部門でベテランとなった人員がリタイアし知的財産部門に異動されるという配置もよく行われます。10～20年ほど前までは、定年間近な社員をリストラ予備軍として知的財産部門に配属し、特許調査をさせるという企業までありました。

もちろん、一部では新卒の社員を専門人材として知的財産部門に配属し、弁理士の資格も取得させて専門性を高めるとともに、経営も一体となって知財戦略の策定に取り組む企業も出てきているものの、まだ少数です。

日本では知的財産部門出身者が取締役となるケースはまだまれです。近年、法務に携わった人材が取締役や社外取締役として採用されるようになった傾向とは対照的です。日本の経営で知的財産は無視できない要素とはなりましたが、その優先順位は法務と比較すれば非常に低いのです。

つまり、知的財産部門が分析した結果を用いて戦略を提案してもその影響力は弱く全社的な経営課題とはなりにくい現状があります。また、研究・開発部門に提案したとしても、経営側からの後押しがない状況では参考程度にしかなりません。結果として、多くの日本企業では知財戦略が立てられる環境にはあったとしても、そういった実践ができていることは少ないのです。これでは企業が立案したものは実行力をもたない自己満足戦略であるといっても過言ではありません。

知的財産部門は直接的に売上や利益を上げることがない、いわばコストセンターです。いくら高度化した業務を担っているとしても、経営側からの後押しと理解がなければその成果を表すものはコスト削減の面しか評価されません。そのため、経営側への成果の説明として

「質の良い特許に出願を絞り込んで、効果的な出願を行った」という説明がされやすくなるわけです。いわば、いかにコストパフォーマンスの良い出願ができたかということばかりがアピールされがちな環境になっていったのです。

知財マネジメント重視が招く発明奨励マネジメントの停滞

知財業務の高度化は、研究・開発の現場にも大きな影響を与えてきました。特許公報による膨大な情報が手に入ったことにより、技術動向やライバル企業動向が可視化されるようになり、その研究・開発の方向性もより企業の経営戦略や事業戦略との一貫性や、研究・開発成果の製品化・事業化率の向上が求められるようになったのです(図表10)。

研究・開発テーマの見極めと絞り込みも重視されるようになり、自由な発想による発明は多くの企業で非常に難しくなっています。企業経営でも短期間で成果が求められるようになった結果、多くの日本企業で余白の時間を従業員に与える余裕はなくなり、短期間・低コ

【図表10】　日本企業の研究・開発の取り組みに関する調査

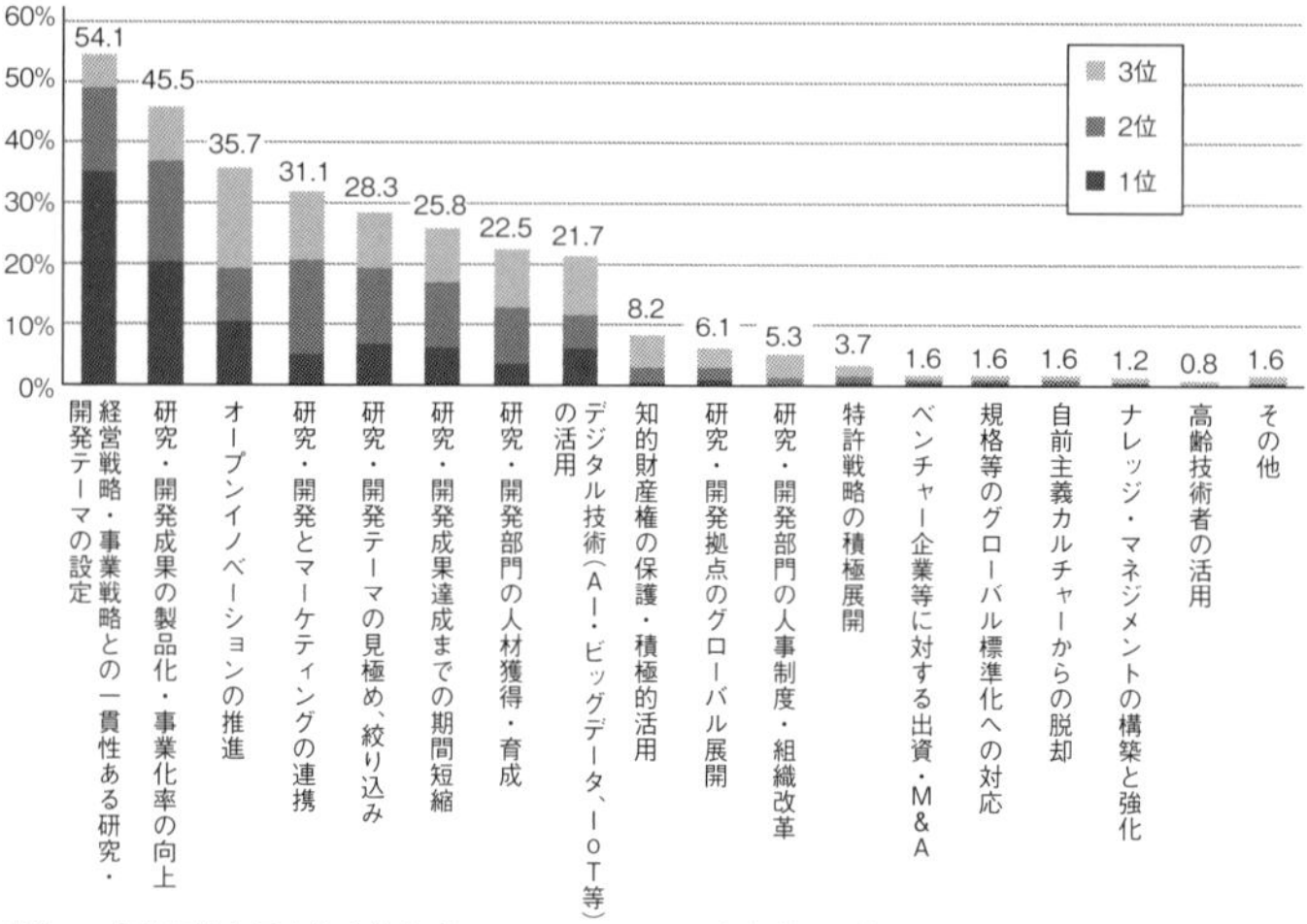

出典：一般社団法人日本能率協会「CTO Survey2020 日本企業の研究・開発の取り組みに関する調査」

ストでの研究・開発で成果を上げ、権利としても成果を上げる特許出願が必要になったのです。

この現象について、2018年にノーベル生理学・医学賞を受賞した京都大学の本庶佑氏は「イノベーションとは『とんでもない』と思うようなことから始まるもの。革新を起こしたければ、『ばかげた挑戦』をやりやすくする環境整備をすべきなのに、今の産業界はそれをしてはいけない仕組みになっている」と鋭く指摘しています。短期間で投資回収が見込める研究ばかりを志向するあまり、研究・開発の現場では発明といえる新たな発想に基づいたチャレンジがしづらくなっているのです。本来であれば、研究・開発のサイクルを促進するはずの特許情報の分析がかえって研究者の足かせとなる、皮肉ともいえる状況が起こっているのが現状なのです。

研究・開発テーマの分析や出願する特許のコストパフォーマンスを追求することは一見、合理的なアプローチに見えます。しかし、このことが結果として日本の発明奨励マネジメントを停滞させ、特許出願数を低下させている要因となっているのです。

質を追求したつもりの特許戦略がもたらしたもの

日本企業が1980年以降追求してきたはずのコストパフォーマンスが高く、質の良い特許とは一般的には、権利範囲が広い特許だといわれています。もちろん、発明の権利を手広く抑えるためあやふやな内容にしたのでは意味がありません。競合他社が業務上使用せざるを得ないような特許が良い特許だといわれます。

しかし、良い特許だといわれても、それが出願企業の特許の質と必ずしも合致するとは限りません。それぞれの企業には特有のビジネス環境があり、市場の特性や業界慣習、特許権の行使の頻度などはさまざまです。業界によっては、対消費者ビジネスを展開しているという理由で、特許権を侵害されたとしてもできるだけ訴訟になることを控える慣習もあります。この場合は特許の取得がもつ意味は大きく変わってきます。つまり、特許の質のとらえ方は企業や人の考え方それぞれであり、明確に定義することはできないのです。特に訴訟やトラブルを極力、避けようとする日本ではこの傾向は顕著です。

近年では、特許の質や価値について公表されているデータをベースに数値化するよう取り組まれていますが、数値化できない要素を考慮せず、数値上のデータだけを参照してしまうような評価ではおそらく実態は反映できません。つまり、特許の質は評価できないものであり、追求する必要のないテーマであるといえるのです。多くの企業では、特許の質を追求することが特許戦略だと考えて推進してきたかと思いますが、そもそも特許の質が定まらないならば、追求した「つもり」に過ぎないのです。

企業の開発力や日本の開発力を評価する際には、あくまで特許の質ではなく量を指標として見るべきです。企業の業績を大きく伸ばすような発明を実現するには、発明の母数を増やすしかありません。

企業の一事業を新たに築くような発明ができる確率は、ダイヤモンドの採掘と同じ程度かと思います。非常に確率の低いダイヤモンドの採掘作業で、確実にダイヤモンドを見つけるために分析をいくらやっても意味はありません。ひたすら掘って、掘り当てるしか手段はないことは自明です。同様に、企業の開発力を向上させるためには、発明を促進して、特許出願数を増やすしかないのです。

伸びる中国の特許出願数

開発力を向上させ国力を増強するために特許出願数を増加させることが重要だと認識し、政策として後押しをしているのが中国です。中国は2010年代から急激に特許出願数を増加させ、今や米国を抜いて世界1位の特許出願数を誇り、他国を大きく引き離しています(図表11)。

中国は2008年に国務院が交付した国家知的財産権戦略綱要に基づき知的財産に関する施策を実施しています。なかでも、特許数の増加に寄与したのは政府主導で展開した各省や

【図表11】　主要国の特許出願件数の推移（1995～2015年）

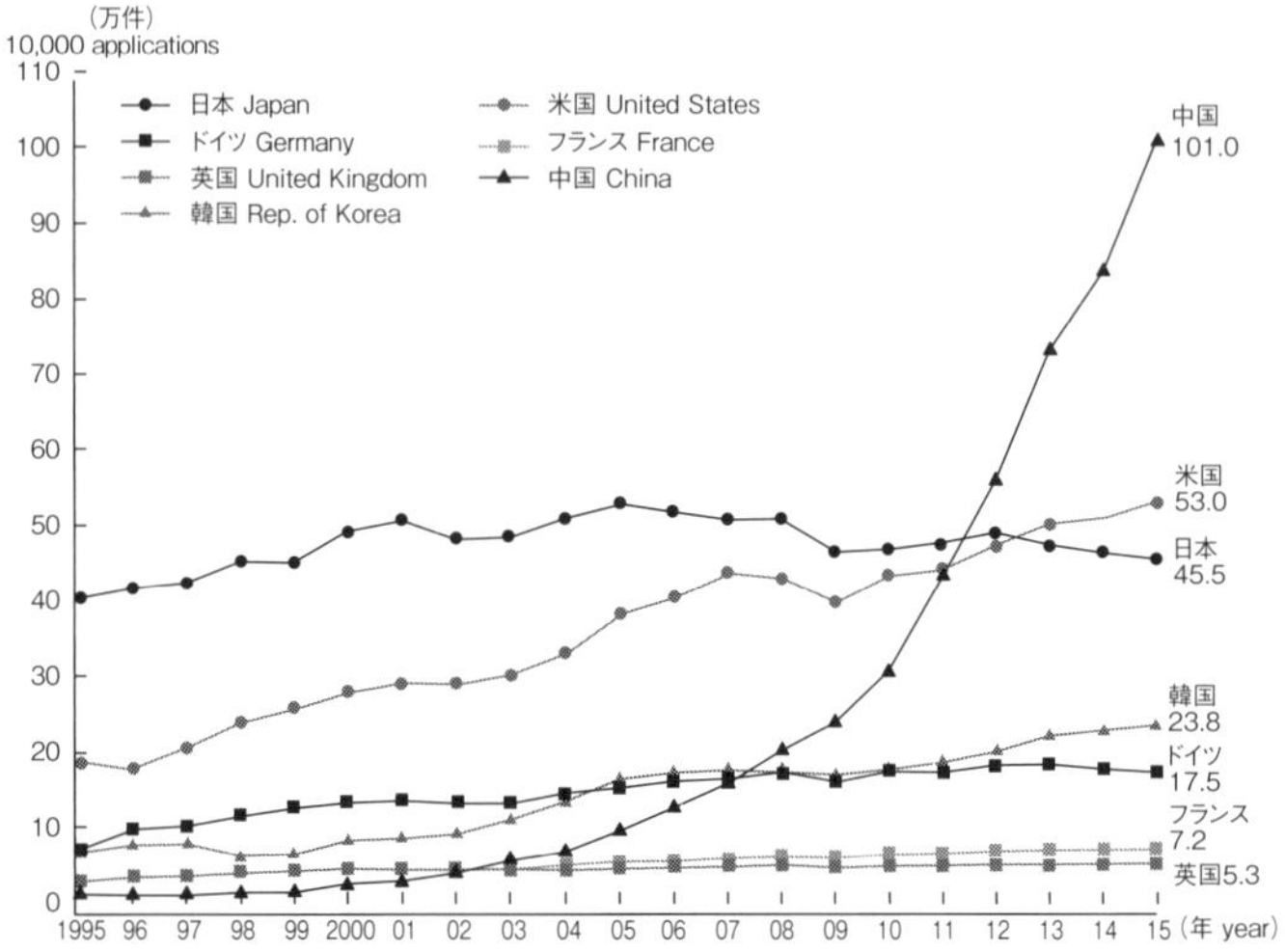

出典：文部科学省「科学技術要覧（令和２年度版）」を基に著者作成

直轄市による特許奨励施策です。中国の各省や直轄市では独自の特許出願に関する補助金や奨励金の支給税制優遇を推進した結果、特許が大量に毎年出願されるようになりました。

中国は特許出願数だけでなく知的財産を国家の根幹と位置付けて取り組んでおり、２０１１年に策定された第12次５カ年計画では科学技術イノベーションを支援する政策措置として知財戦略の実施を打ち出し、２０１５年に公布された「新情勢下における知的財産権強国の建設加速に関する意見」では「知財強国」のキーワードが政策文書に盛り込まれました。２０１６年に策定された第13次５カ年計画では「知財強国」が国家目標として位置付けられています。

国家の企業への関与が強い中国で、国家目標として知財が位置付けられることは非常に大きなインパクトのある出来事だといえます。特許出願数の面で政策の成果を得た中国は、２０２１年に公表された「知的財産強国建設要綱」で２０３５年までに知的財産権の総合競争力が世界トップレベル入りを果たし、知財強国づくりを基本的に完成させることを目標としています。

今後、中国は高い特許出願数により得た発明の資産を背景に、生み出されたイノベーションによる産業育成や、権利の行使やライセンス料の請求、国際特許訴訟などを提起していくと予想されます。発明を奨励し、高い特許出願数を維持したまま知的財産業務を高度化することは、かつて日本が２００２年の知的財産戦略大綱で目指した姿であったはずです。

中国の特許出願数は数を重視した見せ掛けという意見もありますが、決してそうではありません。21ページの図表４で示したとおり、自然科学系の国別論文数では中国は国別論文数や被引用率の高い論文数で世界のトップを走っています。また、中国のイノベーションの力はすでに国際的に大きな影響力をもって発揮されています。宇宙開発やスーパーコンピューターなどの計算機科学、情報通信の分野などが国家の力強い後押しを得て着実な成果を残しています。

対して、特許の質を重視しようとして効率的な特許出願をするようになった日本は、論文数や被引用率の高い論文数、イノベーションの力で中国に大きな差をつけられています。このことから、国の開発力が特許出願数にある程度、比例していることは明らかです。

特許出願の根拠となる特許法の第1条は「この法律は、発明の保護及び利用を図ることにより、発明を奨励し、もつて産業の発達に寄与することを目的とする」と高らかにうたっています。産業の発達には発明の奨励が欠かせないことは特許法が制定された1959年には自明のこととして認識されていたのです。

日本と日本企業は特許法第1条に記載された発明を奨励する精神を再度認識して尊重し、特許業務の高度化を図るとともに、特許出願数向上のための促進施策をただちにとるべきです。

第 3 章

旧態依然の知財業務がもたらす研究開発へのしわ寄せ ムダだらけの特許調査に追われる技術者たち

研究者・技術者を疲弊させる特許調査業務

1980年代から知財業務が高度化するなかで、研究者・技術者の大きな比重を占める業務となったのが特許調査です。特許調査は目的によりアプローチが異なり、細かく分類すると「技術動向調査」「先行技術調査」「侵害防止調査」「無効資料調査」の4つがあります。

技術動向調査は、研究・開発の開始や途中の段階で研究テーマに関係する公知技術がないか調べる調査です。技術収集調査とも呼ばれ、これにより他社との研究の重複を避けることができます。

先行技術調査は、出願を予定している発明が他人によってすでに出願されていないかを調べる調査です。出願前調査とも呼ばれ、この段階の調査で出願予定の発明が記載された特許公報が発見された場合は、その発明は特許を出願したとしても権利化できる見込みがないと判断でき、無駄な出願を防止することができます。

侵害防止調査では、研究・開発の結果として製造・販売する商品について、第三者の特許権を侵害していないか調べます。設計段階から製造前段階に掛けて行い、他社の特許権を侵害していることが判明した場合、その後の裁判などを避けるため、権利を侵害する行為を避けるものです。

無効資料調査では発明品を製造・販売する際に障害となる他社の特許権を無効にできる証拠資料があるかどうかを調べます。これは公知例調査とも呼ばれます。この調査を行って証拠資料が見つかった場合には、障害となり得る特許権を無効にすることもできます。

これら4種の特許調査は、一般的には企業の知的財産部門が主導して推進します。知的財産部門が有する検索ツールによって出力された調査対象特許について、研究・開発部門が内容を読み込み、リストにチェックをしていくことでその内容を精査しているのです。特許調査は研究・開発のあらゆる段階に及び、研究者・技術者は常に特許調査の作業を抱えている状況にあり、本来の業務である研究・開発業務に専念できる環境とはいえないのです。

一方で、競合となる特許を読み込むことは、研究・開発に資する行為であるため、特許調査は知見の醸成のために資する業務だと考える方もいるかと思います。しかし、特許調査での権利の確認と研究・開発のアイデアを探す調査はまったく異なります。特許調査の権利の確認については、特許請求の範囲を主に読み込んでいく必要がありますが、研究・開発に関するアイデアを探す場合は特許の要約を主に読み込んでいく必要があるのです。そのため、多大な特許調査を研究・開発部門に担わせることは、本来は新規性を求める研究者・技術者にとって大きな重荷となっているのです。

なかには特許調査業務を好む人もいますが、研究者・技術者には特許調査業務にアレルギー反応を示し嫌がる人が多くいます。あまりにこの作業に嫌悪感を抱いているために、コミュニケーションをとったり、改善をしたりすることを嫌がって知的財産部門との意思疎通がうまくいっていない例もよく見聞きします。それほど、研究者・技術者にとって特許調査とは心が重い作業であるのです。

ノイズだらけの特許調査がモチベーションを落とす

ただでさえ後ろ向きになりがちな特許調査で、さらに研究者・技術者をうんざりさせるのは、特許調査の文献は大半が主題と関係のない、ノイズであることです。しかし、特許調査では一件一件を評価し、その内容を記入しなければなりません。

特許調査では、研究・開発テーマの重複や特許の侵害を避けるため、調査の漏れを防ぐことが第一に考えられます。そのため、一般的には検索システムで特許を抽出する際に多めの情報を選択し、目視で内容を詳細にチェックすることで漏れを防ぐ方策がとられがちです。1000件の特許文献を確認して、1~2件を除いてすべてがノイズということも珍しくはありません。

特にこのノイズは侵害防止調査で多くなる傾向があります。他社の特許権の侵害の有無を調査漏れがないように慎重に確認する必要があるため、検索の範囲が広くなりがちだからです。海外事業を行っている企業では、対象が外国特許にまで広がるため、特許業務の国際化に伴ってノイズに割かれる時間は増大する傾向にあります。

自社の研究や技術に関する特許の確認であればまだ良いものの、関連のない特許を読む時間ほど苦痛なものはありません。特許調査での膨大なノイズの存在は研究者・技術者の労力を浪費する要因となり、モチベーションを低下させているのです。

勤務時間が語学学習の時間と化す外国特許調査

日本企業の活動がグローバル化するに従って必要となるのが、外国特許の調査です。日本企業が海外で特許を取得する際には、日本側の発明に関し現地で先に特許が取得されていないか確認するために先行技術調査をしなければなりません。すでに先行する特許がないか確認するとともに、出願を予定する技術と特許権の権利の範囲を確認し、権利の侵害の有無を明確にするためです。先行技術があった場合でも権利を侵害していなければ現地での発明の展開が可能になります。

外国特許の抽出には、各地域の特許を検索するツールで、出力された特許を読み込む必要があります。多くは英語に翻訳されていますが、地域によっては現地語でしか特許文献がない場合もあります。こうした外国語の特許文献の読解作業もこれまで研究者・技術者の役割とされてきたのです。

【図表12】 世界の特許文献

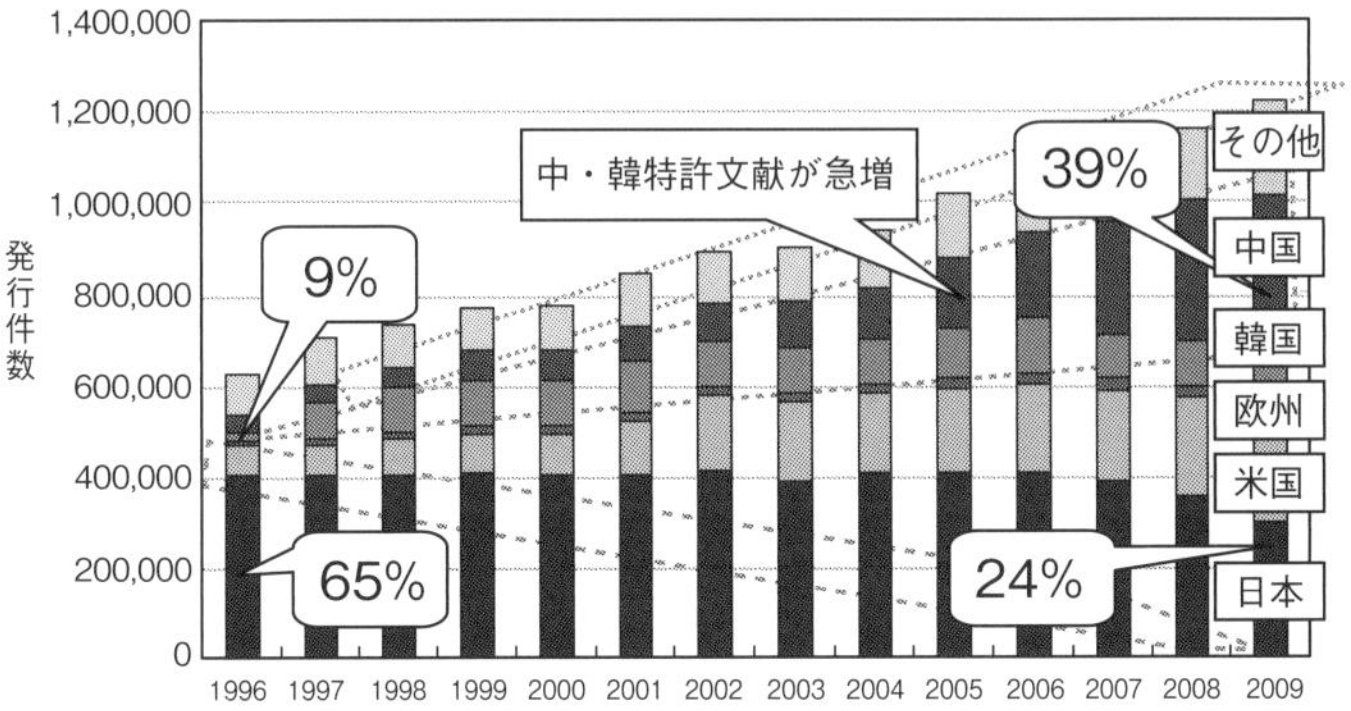

出典：特許庁「国際知財戦略」

特許庁の調査によれば、近年は中国・韓国の特許出願数の増加で、中国語・韓国語でしか読めない特許文献数が急増しています。中国語・韓国語のみで閲覧できる特許文献が世界の特許文献に占める割合は1996年は9％だったものの、2009年には39％に急増しました（図表12）。以前は特例的な作業であった英語以外の言語での特許文献の確認が、中国・韓国に市場をもつ企業が多くなったことにより、主たる作業になりつつあるのです。

煩雑さを増す外国特許文献の読解について、これまで研究者・技術者は地道に取り組みを続けてきました。勤務時間の大半が外国語の読解に充てられ、勤務時間が語学学習の時間と化していることも少なくありません。知的財産部門が出力した英文や原文の特許文献資料をGoogle翻訳など無料の自動翻訳機能を使いながら辞書を引きつつ解読するなどといった地道な作業です。

特許調査は本来研究者・技術者にとって後ろ向きになってしまいがちな作業です。そんな作業に対して、外国語の読解を伴うことで時間を膨大に掛けるのは非常に無駄が多いように感じられます。

このように非効率性を指摘すると多くの場合で、自分の会社の研究者・技術者は外国語が読めますなどと、自社の社員の能力を誇らしく思っているような回答が寄せられることが大半でした。また、研究者・技術者のなかにも英語の特許文献を読解できて当然だし、それでこそ一人前と考える人も多いようです。

しかし、研究者・技術者の本来の業務は発明にあるはずです。業務時間の大半を語学学習に費やしてしまうのは決して効率的とはいえないはずです。百歩譲って外国語の特許情報を自ら読む必要があるとしても、あくまでも今後の研究・開発に役立てるための技術動向調査に絞るべきで、ノイズ情報の読解にまで充てるべきではありません。

企業のビジネスが国際化した現代では、英語の特許文献だけでなく、中国や韓国、ベトナム、インド、台湾などの現地語の特許をしっかり読み込む必要性が増してきました。外国特許の調査は、年を追うごとにその量と質ともに難易度が増しています。

量が増え、英語以外の外国語が必要になる頻度が増えれば、それだけ誤読のリスクも上がります。正確性が必要とされる特許調査で、もはや社内の人員の手作業と根性だけで対応する時代ではなくなっています。今後は、正確で効率的な外国特許の調査のために適切な予算を配分し、日本語の特許と同様の環境で特許調査を進める環境を整えることが求められているのです。

調査結果のエクセル管理が無駄を生む

一連の特許調査の工程は、多くの企業でマイクロソフトのエクセルを使って実施しています。知的財産部門が検索システムにより抽出した特許文献をエクセルに出力して研究・開発部門に送付し、研究・開発部門はエクセルのデータを基に内容を読解し、評価をエクセルに書き込んでいきます（図表13）。

エクセルは手軽で非常に汎用性の高いソフトウェアで、特許文献の管理では好んで用いられます。個々人の作業性や好みに応じたカスタマイズも可能であるため、部署や個人単位で使いやすく設定をして管理している場合もあります。しかし、その柔軟性がこれまで実施し

請求の範囲	ステータス	代表図	評価	評価理由
(57)【特許請求の範囲】 【請求項１】 設定したテーマに基づいて収集した特許公報データを蓄積し、蓄積した前記特許公報データの内容を評価し、評価結果を前記特許公報データと関連付けて蓄積する特許情報処理装置であって、利用者により設定される表示条件に基づいて、第１の表示条件と第２の表示条件を決定する表示条件決定部と、前記利用者により設定される前記テーマに属する案件データを、決定された前記第１の表示条件に基づくキー情報別に、該当す ……		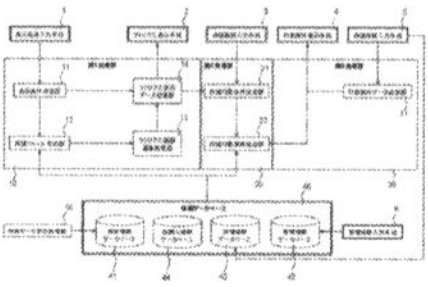		
(57)【特許請求の範囲】 【請求項１】 設定したテーマに基づく案件データを収集した特許情報データを特許情報データベースに蓄積し、着色を付与したいハイライト付与文字を入力手段から入力し、前記ハイライト付与文字に対して前記着色を付与して前記特許情報データを表示し、前記入力手段では、前記ハイライト付与文字として、少なくとも第１ハイライト付与文字と第２ハイライト付与文字とを入力でき、前記第１ハイライト付与文字に対しては、前記着色として第１着色を指定でき、前記第 ……		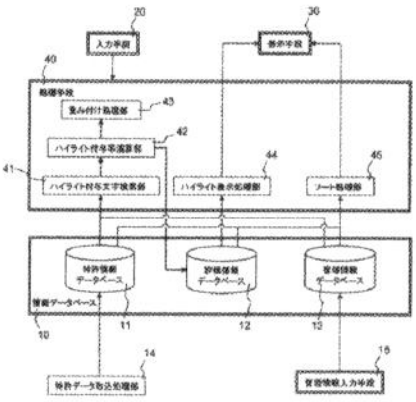		
(57)【特許請求の範囲】 【請求項１】 設定したテーマに基づく案件データを収集した特許情報データを特許情報データベースに蓄積し、着色を付与したい内容判別文字を入力手段から入力し、前記内容判別文字に対して前記着色を付与して前記特許情報データを表示手段で表示する情報処理装置であって、処理手段には、前記案件データ別に、前記内容判別文字を含むか否かを検索する内容判別文字検索部と、前記内容判別文字に対しては前記着色を付与してハイライト付与文字として表示するハイライト表示処理部と、前記特許情報デ ……		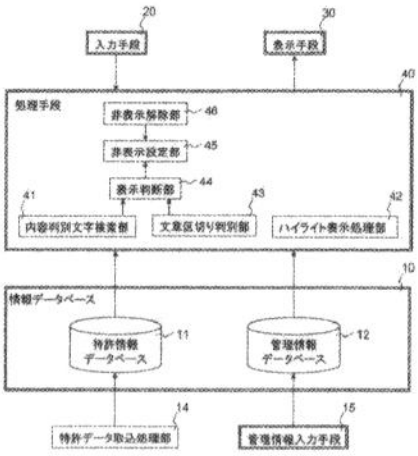		

【図表13】 調査結果のエクセル管理に関する図表

NO	登録番号	登録日	発明の名称	権利者・出願人数	要約
1	特登-05548517	2014/07/16	特許情報処理装置	アイ・ピー・ファイン株式会社	(57)【要約】 【課題】特許公報に関する評価情報を共有化でき、全体の進捗状況を的確に把握できるとともに、継続的な評価処理を迅速的確に行うことができる特許情報処理装置を提供すること。 【解決手段】第1の表示条件と第2の表示条件を決定する表示条件決定部11と、案件データを、決定された第1の表示条件に基づくキー情報別に、該当する案件データのキー情報別総件数と、該当する案件データで既に評価データが付与されたキー情報別評価済件数とを抽出する仮想……
2	特登-05703399	2015/04/15	特許情報処理装置	アイ・ピー・ファイン株式会社	【要約】 【課題】異なる条件として複数のハイライト文字を入力した場合に、これらの条件をどの程度満たすかがハイライト付与率として表示される特許情報処理装置を提供すること。 【解決手段】本発明の特許情報処理装置は、処理手段40には、ハイライト付与文字検索部41と、ハイライト付与率演算部42と、ハイライト表示処理部44とを有し、表示手段30では、案件データ別に、ハイライト表示処理部44で付与された着色を表示するとともに、ハイライト付与率演算部42で演算されたハイライト付……
3	特登-06604024	2019/11/13	情報処理装置	アイ・ピー・ファイン株式会社	(57)【要約】 【課題】特に長文の特許情報データに対してチェックしたい文だけを確認できる情報処理装置を提供すること。 【解決手段】本発明の情報処理装置は、処理手段40には、内容判別文字検索部41と、ハイライト表示処理部42と、文章区切り判別部43と、表示判断部44と、非表示設定部45とを有し、前記表示手段30では、前記案件データ別に、前記ハイライト付与文字が含まれていると前記表示判断部44で判断した前記段落記号で区分けされた前記文を表示するとともに、前記ハイライト表示処理部42……

著者作成

た特許調査の履歴を活用できなくなる原因にもなっているのです。

エクセルは、セルごとに自由に色を変えたり行や列を増やしたりすることができる非常に自由なソフトです。そのため、部署や個人によって評価の入力方法などが異なる事象を引き起こします。特定の緻密な管理者がいる場合は履歴がよく管理されているものの、部署異動や定年退職などで部署を去ると、ルール管理が引き継がれなくなり途端に過去の履歴がさかのぼれなくなることもよくあります。知的財産部門は特許調査用のエクセルを研究・開発の現場に送付するものの、その結果について総合的な管理ができない状況に陥りがちです。

過去の履歴がさかのぼれないことで、過去に実施した特許調査が無駄に繰り返されることもあり、ただでさえ後ろ向きな作業である特許調査の作業量が増える事態も珍しくありません。これらの問題は知的財産部門および研究・開発部門に所属して特許調査に携わった経験がある人なら必ず一度は経験があるはずです。皆、エクセル管理の問題点を感じながらも解決策がないために現状を変えられないのです。

特許調査に予算を割きたくない企業

特許調査がエクセルを使っている根本の理由は、知的財産部門が特許検索システムを利用して実施した対象特許のリサーチ結果をエクセル（もしくはＣＳＶ）ファイルで出力し、研究・開発部門に送付しているからです。世にあるさまざまな特許検索システムは一般的に知的財産部門が契約し、研究・開発部門では契約しません。そのため、検索結果をどの端末からでも閲覧・編集ができるエクセル形式で送付するのです。

知的財産部門のみが特許検索システムの契約をしている理由は、契約形態がＩＤごとに課金される仕組みになっているからです。一般的に企業では複数の特許検索システムを契約して使用するため、この費用は相当の額になっているのです。また大企業を除いて多くの企業は特許調査に関する予算を最低限に抑えるため、知的財産部門に契約対象を限定し研究者・技術者にＩＤを付与していません。

このように特許調査に関する取り組みは、研究・開発部門を巻き込んだ大がかりなものにはなりにくい傾向にあります。企業の研究・開発部門の人員は、知的財産部門の人員と比べると数倍から数十倍にものぼります。そのすべてに高価な検索システムや業務効率化システムを付与できないという発想が根底にあるために、基本的に費用が掛からないエクセルでの特許調査管理が続いているのです。

複数の検索データベース使用がエクセル利用を生む

特許調査に特許検索システムが不可欠だという前提は、特許調査でエクセルを使用せざるを得ない状況を作り出しています。企業では複数の特許検索システムを使用しているものの、その出力形式が異なり、データを統合しづらい事情があるのです。

また、特許検索システムの使用は、検索サービスのほかにも、外部サービスとの連携や特許マップ・IPランドスケープ作成に使用する分析機能などを併せもつことが多く、一つひとつの習熟が必要です。このため、検索システムごとに担当者を割り振ることも多く、一人が横断的な目で出力した特許情報の統合をすることが難しくなっています。

特許調査の業務管理の標準化は難しく、検索システムごとに出力された形式のファイルをそのまま用いている場合も多くあります。そうなると会社や部署、個人ごとに業務管理の工程が異なってしまい、自由なエクセルファイルの編集を助長してしまいます。この結果、出力されたデータによる特許公報の管理は個人任せになりやすく、仕方がなく統一されていないフォーマットのまま保存・格納ができるエクセルファイルの使用が続いていくという結果に陥りがちになるのです。

これまでの慣習を変えたくない研究者・技術者たち

特許調査がエクセルで管理されているもう一つの理由として、研究者・技術者の一部がこれまでの特許調査の手法を変えることに抵抗するという現象があります。CD－ROM公報の発行が始まり特許公開情報が紙情報から電子情報になった1993年からまだ30年と日が浅いこともあり、50代、60代の研究者・技術者にはいまだに紙媒体での業務を好む人が多くいます。なかには、配布されたエクセルをプリントアウトして出力し、手書きで記入した文書を別の社員が入力していることもあるほどです。このような状態で、特許検索システムからの出力という「仕方がない事情」で使わざるを得ないエクセルからほかのシステムなどを使った管理に移行することなどとんでもないという考えをもつ人は研究者・技術者に多くいるのです。

研究者・技術者が特許調査業務で変化を嫌がる理由は、特許調査の多くが彼ら彼女らにとって後ろ向きの作業であること、知的財産部門が社内で十分な権限と予算を与えられていないことと関係しています。多くの研究者・技術者は、できるならばやりたくはない特許調査業務について、これ以上煩雑にしてほしくはないと感じています。また、企業全体から見れば発言権が少ない知的財産部門から変化を持ち掛けられても、耳を貸さないこともしばしばです。

知的財産部門から特許調査業務の効率化を持ち掛けた際に丁寧に研究・開発部門をフォローしなければ、せっかく行った業務フローの変更が難しくなり、いつの間にか元に戻っているということはよく聞く話です。

このように、エクセル管理よりもより良い手法を模索しようにも、研究者・技術者の大きな反対にあって立ち往生する事象は至る所で起こっています。もっとも、この状況は研究者・技術者に限ったものではありません。未知のものや変化を受け入れたくないという心理作用は現状維持バイアスとして、よく知られる現象です。未知のものや変化を受け入れると現状の安定した状態を失うリスクがあるため、回避しようとする心理が働くのです。

しかし、企業の多くの部門でシステムを活用した業務改善が進むなか、特許調査の業務だけが非効率なエクセル管理のまま、下手をすると旧態依然とした紙での業務が残ったままで状況を維持してよいわけがありません。非効率な部分があると感じたら、変化によるコストを恐れず新しい手法に改善するようチャレンジしなければならないのです。

特許調査業務の効率化に限界があるベンダー

特許調査業務の効率化が知的財産部門、研究・開発部門を通して横断的にできていない背景には、煩雑な知財業務についてシステムベンダーが解決策を提示できなかったことも要因として存在します。そもそも、特許調査業務は部署や個人によって使うシステムやソフトが異なることが一般的です。システムを組もうとする際には、特許番号の形式が1件の特許に対して出願時に付与される「出願番号」、公開特許公報発行時に付与される「公開番号」、特許公報発行時に付与される「登録番号」の3種類が存在するなど、とても紐付けが煩雑で整理が難しいという問題がありました。

一つの企業の内部に焦点を当てただけでもこの状態で、さらに企業ごとに見るとその業務のアプローチは多種多様で、非常に標準化しづらい状況でした。社内の特許調査に統制をとることについて手をこまねいている企業が多いなか、社内事情と特許調査実務に疎いシステムベンダーが効率化を提案できるわけがないのです。

このように、システムベンダーが横断的な特許調査業務効率化を提案できないなかで、化学分野など検索の専門性が高い企業は、結果として複数のベンダーのシステムを使わざるを得なくなりました。社内のシステム化におけるフォーマットの統一ができなくなり、結果としてシステムごとの管理に対応するためエクセルによる管理が促進されるという場合もあります。このような状況は、かえって非効率を招く事態にもなりかねません。

予算のある大手企業では、自社独自の知財情報管理システムのみを構築し、出願書類や発明者から受け取った提案書、代理人に送った指示書や検討書類、受け取った請求書、支払状況、外国出願を含む関連出願の情報を一覧で閲覧できるようにしています。しかし、これはあくまで自社特許のファイル管理に特化したシステムであるため実現できたことで、他社や外国特許の評価について横断的に管理するシステムは生まれていませんでした。特許調査業務がエクセル管理から脱することができない理由は、企業の社内的な問題もあったのですが、外部がサービスを提供できていない背景もあったのです。

自社特許の状況も確認できない研究者・技術者の環境

ベンダーが開発可能な自社特許についての知財情報管理システムにも大きな問題があります。公開が行われていない、出願時の特許は、非常に機密性が高いものです。そのため、情報セキュリティーの観点から、研究者・技術者に閲覧権限が与えられていないことが多いのです。

研究・開発部門が出願戦略を練るうえで重要な情報の一つは未公開の社内の出願特許の情報です。自らの部門が出願した特許の審査状況がどのような状況にあるのか、特許庁からどのような内容の拒絶通知書が発行されたのか、それにどう反論したのかを確認することは、今後の研究・開発を進めるために非常に重要です。

また、社内にはアイデアの段階でとどまり、出願しないと判断された発明も多く眠っています。それらを閲覧することでなぜ特許出願に至らなかったのかを判断する指標を得ることも必要ですが、これらの情報は一般的にすべて研究者・技術者が自由に閲覧できる状態になっていないのです。

一般的にベンダーが提供する知財情報管理システムは初期設定として研究者・技術者に対する閲覧権がありません。もし閲覧権を付与するため改修をするならば、数百万から数千万円の費用が掛かることもあります。このため、どの企業も自社の研究者・技術者に閲覧権を付与しないのです。

しかし、閲覧権を付与しないことが一般的だからといって、出願特許について社内非公開のルールを敷くのは思考の停止にも等しい状況で、研究・開発テーマが外部へ漏れることを過剰に恐れた危機管理が招いた結果ともいえます。特許出願に関するシステムについては、エクセル管理のほかにもこの社内非公開制度と同様の非効率がまだまだ多く残っているのです。

日常の作業に忙殺される知的財産部門

知財戦略を実現する権限や予算まではないものの、特許検索システムなどの契約権限をもつ知的財産部門も特許調査の効率化に積極的かというとそうではありません。知的財産部門の主な仕事は発明の発掘と特許事務所と連携した特許明細書の作成、拒絶等の通知への応答書類の作成や確認、特許調査、係争対応、契約書の作成と多岐にわたります。業務としては知財戦略も加えられます。しかしその内容は管理部門としての知的財産部門の運営や予算管理に終わることが大半で、高度な戦略立案までできている企業はごく一部です。

知的財産部門の業務は基本的に日常業務や弁理士への依頼業務が多く、常日頃のルーティン業務で忙殺されてしまいがちです。ある大企業の社員は「本社で実務をやっているのは知的財産部門だけ」とコメントしました。経営企画などに参画することをせず、ひたすら現場の実務だけの状況を指した言葉です。

多くの企業で知的財産部門の人員は決して潤沢ではありません。知的財産部門の業務に特化した専門人材が育成されている場合もありますが、研究者・技術者が引退後のポストとして配属されることもあり、常に人材の不足に悩まされている部署ともいえます。

日常業務に追われる部門では現状を変えようというモチベーションは起こりにくいものです。また、リタイアした研究者・技術者の配属先とされるような知的財産部門では、社内での優先度が研究・開発部門よりも低いため、研究・開発部門を巻き込んだアプローチをする発想になりづらいのが実情です。

このように、知的財産部門はある程度システムに関する予算をもっているためにシステムベンダーなどからの提案を受けやすいものの、知的財産部門は積極的に社内を巻き込んだ業務効率化のアクションを起こしづらいという構造があります。良くも悪くも、特許出願に関連する知財業務は変化が起こりにくい業務です。現在出願している特許の成功の可否については 5 年後、10 年後にしか評価ができません。特許調査も出願の手法も１９８０年代以前から大きく変化しておらず、変える必要があまりないと考えられても不思議ではありません。これまで業務内容について大きな変化を伴ってこなかったために、業務を変革する人材も育っていないのが現実なのです。

また、特許調査に関する業務改革は、一部門で完結する問題ではなく、研究・開発部門と一体になった業務であるがために改革しづらい事情もあります。状況を変えていくためには、経営陣からの指示など大きな力が欠かせず、それがなければ知的財産部門主導の業務効率化は非常に難しいのです。

評価が難しい知財業務とノウハウのタコツボ化

現状を変えたくない発想に陥りがちな研究・開発部門と、日常業務に忙殺される知的財産部門から変革の気運を起こすことが難しいのであれば、経営側からアプローチを起こすしかありません。しかし、知財業務の非効率性について認識している経営者は非常に少ないのです。知財業務の変革が遅れ、非効率がそのまま放置される傾向にある理由は、業務の評価が難しく、業務ノウハウが閉じてしまって、まるでタコツボのような状態になってしまいやすい特性にあります。

知財関連業務の主たるものは、他社の特許を侵害しないための特許調査と自社の権利を獲得する特許出願です。前者はその効果を定量化して測りにくく、後者はある程度年月が経たなければ結果が分かりません。また、知財関連業務の多くは知的財産部門、外部の弁理士、研究・開発部門にまたがって実施されるため、各工程の業務がつかみづらく、その業務の専門性も高い特徴があるのです。そのため、知財業務については各部門に「お任せ」な状態となっている企業も多くあるのです。

「お任せ」になった業務は、経営層や他部門からの影響を受けにくく、タコツボ化しやすい状況に置かれます。部署独自のルールが多く作られていたり、業務が個人依存したりする状況となり、よりいっそう、経営層や他部署からの干渉が難しくなります。知財業務で紙ベースの業務が多く残っていたり、問題があると認識されながらもエクセルファイルベースでの特許調査を続けていたりするのはこの表れだといえます。

今後、知財業務を変えていくのであれば、この現状を変えていかねばなりません。知財業務を各部門に「お任せ」することを脱し、その業務を広く見えるように変えることを通じて、独自ルールや個人依存の業務から脱していくしかないのです。現状を変える第一歩として必要なのは、経営陣が知財業務の重要性について理解を示すことです。現状では知財に通じた人材が経営陣に加わることはまだまれといえますが、そうした人材が経営に携われば、知財業務の効率化だけでなく真の意味での知財戦略の立案と実行に一歩近づくことができるのです。

DXどころか「デジタライゼーション」すら達成できない現場

今、IT・デジタル技術の発展により、業務の変革といえば「DX（デジタル・トランスフォーメーション：Digital Transformation）」が社会の合言葉となりつつあります。

日経クロステックの調査では、2021年にDXを「推進している（「積極的に推進している」と「少しは推進している」の合計）」企業の割合は70・1％で、2020年の調査から22・5ポイントも増加しています（図表14）。最近では「知財DX」という言葉も生まれ、知財業務の面でもデジタル技術を活用した変革をしようとする動きも活発になっています。

しかし、その取り組みの多くはDXといえるものではないことが大半です。そもそも、DXの厳密な定義を確認すると、日本政府が2018年に打ち出した「世界最先端デジタル国家創造宣言・官民データ活用推進基本計画」のなかでは「企業が外部エコシステム（顧客、市場）の劇的な変化に対応しつつ、内部エコシステム（組織、文化、従業員）の変革を牽引し

【図表14】 DXの推進に関する調査

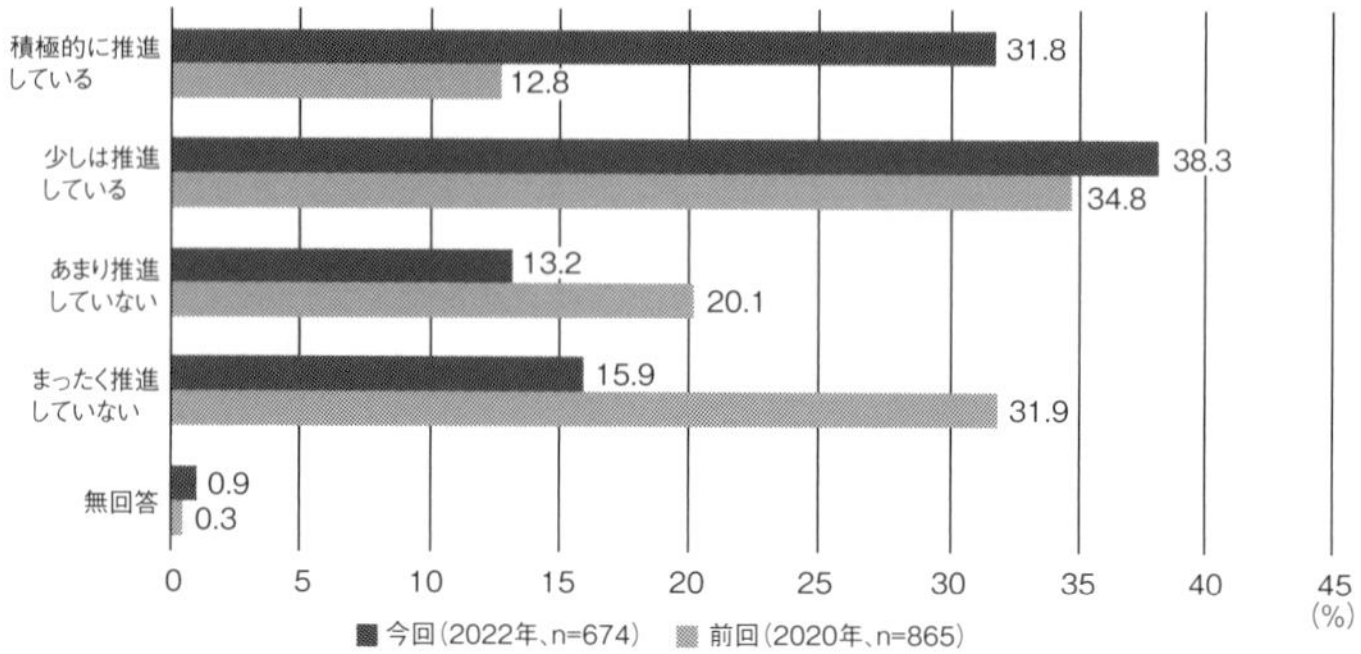

出典：「日経クロステック／日経 BP 総合研究所 イノベーション ICT ラボ」

ながら、第3のプラットフォーム（クラウド、モビリティ、ビッグデータ／アナリティクス、ソーシャル技術）を利用して、新しい製品やサービス、新しいビジネスモデルを通して、ネットとリアルの両面での顧客エクスペリエンスの変革を図ることで価値を創出し、競争上の優位性を確立すること」とされています。つまり、単なるデジタル化やツールの導入による効率化だけでは、既存概念の破壊を伴いながら新たな価値を創出する改革ではなく、DX以前の段階だといえるのです。

総務省の情報通信白書では、このDXとデジタル化の違いについて「デジタイゼーション」「デジタライゼーション」「デジタル・トランスフォーメーション（DX）」という3段階に分けて説明しています（図表15）。「デジタイゼーション」とは、既存の紙のプロセスを自動化するなど、物質的な情報をデジタル形式に

【図表15】 デジタル・トランスフォーメーションの定義・概要

デジタイゼーション
デジタルは、確立された産業の
効率化などを補助するツール

デジタライゼーション
デジタルは、産業と一体化することで、
ビジネスモデル自体を変革する

デジタル・トランスフォーメーション
デジタルは、産業内の制度や
組織文化の変革を促す

出典：総務省「令和３年版　情報通信白書」

変換することを指します。一方の「デジタライゼーション」とは、組織のビジネスモデル全体を一新し、クライアントやパートナーに対してサービスを提供するより良い方法を構築することを指します。

現在、知財ＤＸの名称で叫ばれている変革は、この３つのうち「デジタイゼーション」「デジタライゼーション」に当てはまるものが大半で、とてもＤＸと呼べるものではありません。

しかし、このアプローチは当然の結果ともいえ、日本企業の知財業務の多くではいまだに紙ベースの業務が多く残り、デジタル化が進んだとしてもそのファイル管理やデータの蓄積や統合すらできていない段階にとどまっているからです。

また、構造的な問題として研究・開発部門を対象としたＤＸシステムや支援サービスが提供されていないことが挙げられます。世に流通するＤＸシステムや支援サービスの多くは、実際は「デジタライゼーション」の段階のもので、その段階のものですら、多くは営業や経理、人事、教育に関するものです。専門性が高く、企業ごとの業務特性も異なる研究・開発部門の業務を外部から改革することは非常に難しく、デジタル化が世に普及し始めた時代から、研究・開発部門の変革は立ち遅れてきた傾向にありました。

しかし、変革が立ち遅れてきたからといって今後も変化を起こさないままでよいわけがありません。知財業務の周辺領域である情報通信技術は日々進化しており、情報通信端末の普及や、クラウド化、コンピューターの処理速度の進化により高度化したＡＩ（人工知能）から派生するさまざまなサービスやロボットによる業務自動化などは日常生活や企業活動のさまざまな領域に進展しています。

企業の知財業務を進めていくにあたっては、まずは「デジタライゼーション」を実現し、これらの最新技術を活かし、早急に業務改革に取り組むべきだといえます。その取り組みの先にこそ、新たな価値の創出を伴う知財ＤＸの実現が具体的に見えてくるようになるのです。

第4章

DXでリアルタイムの情報活用を実現する革新的発明を生む開発現場の知財プラットフォームとは

段階的にDXを実現するために

知財業務を変革・改革していくためには、まずその業務のゴールと問題点を適切に設定することが必要です。何をゴールと設定するかは各企業によってそれぞれかとは思います。

しかし、「日本企業の開発力を甦らせる」といった観点から発想すれば、最も根本的なゴールは発明の促進であるはずです。

発明を促進するための知財業務の変革・改革にどうアプローチしていくかを考えると、研究・開発部門の大きな付帯業務として存在し、知的財産部門がその履歴を管理しきれず、非効率さが残っている特許調査業務が大きな課題の一つとして浮かび上がります。多くの企業にとって特許調査のプロセスは紙媒体でのアナログ作業や、研究者・技術者による翻訳作業、エクセル管理による過去履歴の管理不足など大きな問題を抱える業務であるからです。

もちろん、ほかにも変革・改革が必要な業務は多くあるとは思いますが、ここからは業務改革の一つの事例としてこの特許調査についてのデジタルを活用した効率化について考察していきます。特許調査の効率化のプロセスを通じて、最新のテクノロジーと知財分野の煩雑な業務をどのようにマッチングし、効率化を成し遂げるかの参考にしていただければと考えています。

特許調査は、その業務プロセスや業界特有のコスト構造、他部署との連携という観点からテクノロジー（科学技術）の活用が難しいと考えられてきた分野です。しかし、その業務を一つひとつ分解して考えれば、さまざまなポイントで最新のテクノロジーを活用して補助できる業務が多くあります。

一方で、知財業務に限らず、法務や技術、研究・開発部門など、特に専門性が高い領域でテクノロジーに対する評価はあまり高くありません。特にＡＩをはじめとした機械による推測能力を活用した機能については、抜けや漏れがあるかもしれないという恐れから、どうしても多くの人が活用に及び腰であり、現時点では活用したとしても人の手によるダブルチェックが必須だと考えられています。そのため、導入するとかえって手間が掛かると考える人もいるようです。テクノロジーの活用は、文字検索や索引機能など、確実で間違いのない機能のみを使いたいという人がまだまだ多いのが知財業界の特徴ともいえるのです。

しかし、この考え方は今のテクノロジーの進化から考えれば非常に時代遅れだといえます。

現在の知財関連業務では、最新のテクノロジーを活用することで効率化・省力化ができる余地が多くあるからです。

確かに、テクノロジーの知財業務への導入については、自動運転のように一つの作業を完全に任せてしまえるほど、まだ進歩しているとはいえません。ただ、使いようによっては、人間の能力を補助するものとして十分な役割を果たせる機能は多くあるのです。この時代にテクノロジーを活用するなかで必要なことは、テクノロジーの特徴を正確につかみ、うまく利用していくことだといえるのです。

最新のテクノロジーといかに付き合うか

最新のテクノロジーをどのように業務に取り入れていくのかは難しい問題です。近年の業務効率化システムは構造が非常に高度になっていて、一般の人間には仕組みを深く理解して使うことが難しくなっています。特に多くの業務効率化システムで活用がなされているＡＩ

（人工知能）はその代表格といえます。

ＡＩは正式名称を「Artificial Intelligence」といい、人間の知能や振る舞いの一部をソフトウェアで再現したものを指します。定義は明確には示されておらず、多くの企業によるさまざまなアプローチにより、人間の知能に近づく機能が開発されているのが現状です。新しいテクノロジーのような印象もありますが、このＡＩの研究が盛んになったのは１９５０年代後半からで、開発の歴史は70年にも及んでいます。最近では、アップルのスマートフォンに搭載されている「Ｓｉｒｉ」やアイロボットの掃除ロボット「ルンバ」、ソフトバンクの感情認識ヒューマノイドロボット「Ｐｅｐｐｅｒ」などが開発・発売されたことで存在が身近になりました。

ＡＩは１９５０年代後半から１９６０年代において、コンピューターのもつ推論と探索機能を活かして問題解決や記号を処理する機能が探求され、開発されてきました。その後、１９８０年代から１９９０年代には、特定の専門家が考える問題への対処方法、判断、予測などをルールとして定義し、そのルールを基に問い合わせに対する回答を作り出す「エキスパートシステム」が開発されました。これにより、事前にコンピューターに登録したルールの範囲であれば、問いに対して考え得る限りの状況で予測して対処方法や判断を用意することができるようになりました。しかし、この手法では事前に大量のルールをコンピューターに登録する必要があり、人力で知見をコンピューターに蓄積する特性から回答できる範囲には限界がありました。限界を乗り越えたのが、現在高度化が進んでいる「機械学習」と「ディープラーニング」を用いたＡＩです。

機械学習とはコンピューターが自動で学習することでデータの背景にあるルールやパターンを認識する方法を指します。機械学習には教師あり学習、教師なし学習、強化学習の３種類があります。

教師あり学習では、コンピューターは入力データと出力データをセットにして、入力データから出力データを推計します。入力と出力の関係を分析するために、統計学の回帰分析の手法が用いられます。教師あり学習が使われる代表的なものには、天気予報や売上予想などがあります。近年のＡＩに使われる最もポピュラーなタイプといえます。

教師なし学習は、入力データからデータの背景にあるパターンや構造を見つけ出すというものです。教師あり学習と比べ、目的となる出力データがないため、各データの近さや類似度などを計算し、データのグループ分けをしたり、つながりの推計をしたりします。この手法は主にネットショッピングのおすすめ情報などに用いられます。

強化学習は、教師あり学習や教師なし学習とは違い、データに基づくことなくシステム自体が試行錯誤しながら精度を高める学習方法です。自身が行ったプロセスと結果を学習しながら、最適なアルゴリズムやルールを見いだすという特性があります。この学習方法は、囲碁AIや将棋AIに使われています。これらの用途で使う場合には、教師がいないため最初のうちは強くありませんが、試合ごとにAIが考察をするので、対戦を重ねるごとに経験のデータが蓄積されて強くなっていきます。

これらの機械学習の手法を一段と高度化させたのがディープラーニングです。ディープラーニングは、機械学習のアルゴリズムであるニューラルネットワークを活用した学習の手法で、データを入れる入力層、入力層から流れてくる重みを処理する中間層、結果を出力する出力層で構成されています。これにより、十分な学習データさえあればニューラルネットワーク自体がデータ群の特徴を自動抽出することができます。中間層が入力データをさまざまな大きさに切り取って特徴を割り出すため、与えられたデータを基に細部のパターンから大きな構造、全体の輪郭までを抽出できます。このため、画像のような記号化できないデータのパターンも認識できるようになりました。画像認識以外にも、ディープラーニングは音声認識や自然言語処理、異常検知などの得意分野があるため、自動運転技術や自動音声翻訳などにも応用が広がっています。

このように、AIの機能は進化してきましたが、その出力は必ずしも完璧なものではありません。実際に近年、AIにより提供されているサービスを使用してみると、不十分と感じることも多々あります。しかしこれは、ＡＩに対してその出力を期待し過ぎた結果といえるのです。

機械学習で実施できる作業の精度は、原理的に１００％になることはありません。基本的に専門的な知見と経験をもつ人間には、まだ遠く及ばないことが大半です。しかし、これをもってＡＩ技術を役立たずだととらえることは大きな損失であるといえます。

ＡＩが盛んに活用されている産業分野を見渡してみると、防犯カメラの解析や顔認証、人工衛星の解析など、人間に必要とされている高度な思考や判断が必要ではないものが大半です。その役割の多くが大量のデータを処理して近しい値を出すことに使われ、最終段階や重要なところは人間がチェックするという工程が踏まれます。

このように、ＡＩはいうなれば熟達していない大量の人手と同様の役割を果たします。少人数ではチェックできない大量のデータを整理し、近しい答えを出すことで、エキスパートの判断を補助する役割を担っているのです。

ＡＩ以外のテクノロジーに関しても似たようなことがいえます。人間の脳の働きは非常に複雑かつ柔軟で、今のところ機械が完全に再現できるものではありません。しかし産業革命以降、人間は機械を生み出すことで省力化や効率性の向上、スピードアップを図ってきました。そして、その機械は必ず人間の手で操作してきました。今ある最新のテクノロジーも同様です。テクノロジーという労力を活用できるのはあくまでも代替できる部分であり、私たちが上手にその労力を活用していくいわば「マネジャー」としての役割を果たせばよいのです。

必要なのは高度なＡＩではなく業務を補助する「機能」

ＡＩは完璧なものではなく、多くの未熟な人手だと考えれば自ずと任せられる業務は決まってきます。特に特許調査では、その量とノイズの多さが業務上の負荷になっているので、ＡＩの適性が高いと考えることができます。

特許調査を作業パターンで分類すると大きく2種類に分けることができます。特許検索システムで検索をして抽出された特許文献を確認する方法と、毎月同じ検索条件で特許を抽出し確認する作業です。

これらの手法で特許文献を抽出してみると、本来確認が必要な特許は1割以下で、残り9

【図表16】 AIクロス集計結果

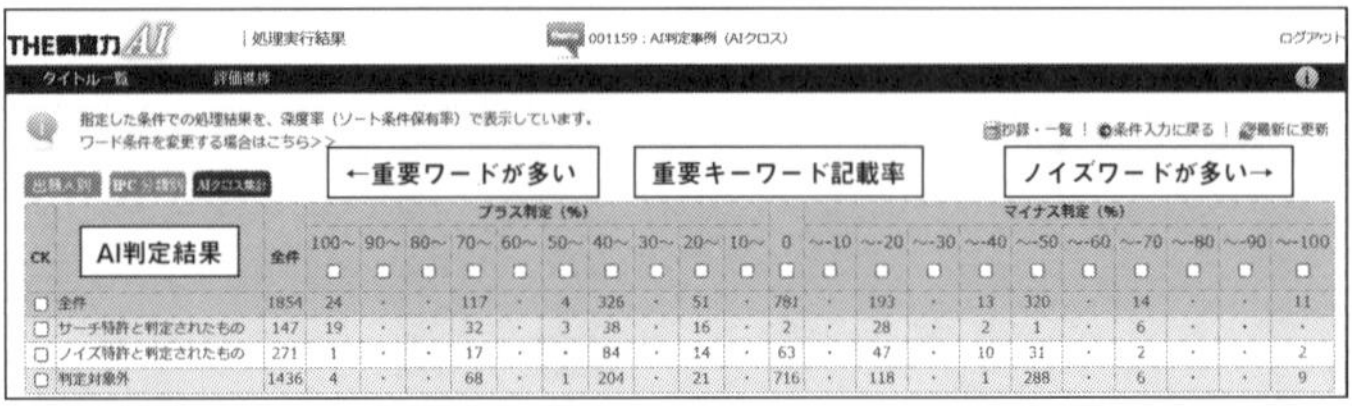

CK	AI判定結果	全件	プラス判定（%） 100~	90~	80~	70~	60~	50~	40~	30~	20~	10~	0	マイナス判定（%） ~-10	~-20	~-30	~-40	~-50	~-60	~-70	~-80	~-90	~-100
☐	全件	1854	24	·	·	117	·	4	326	·	51	·	781	·	193	·	13	320	·	14	·	·	11
☐	サーチ特許と判定されたもの	147	19	·	·	32	·	3	38	·	16	·	2	·	28	·	2	1	·	6	·	·	·
☐	ノイズ特許と判定されたもの	271	1	·	·	17	·	·	84	·	14	·	63	·	47	·	10	31	·	2	·	·	2
☐	判定対象外	1436	4	·	·	68	·	1	204	·	21	·	716	·	118	·	1	288	·	6	·	·	9

THE調査力AI

割はノイズという状態で抽出されます。つまり作業時間の大半が無駄な特許文献の確認に費やされているということになります。この状態では業務効率は上がりませんし、人間が判定する以上はノイズ情報を見続けるとモチベーションが落ちてきます。

そこで、ＡＩを使います。社内で過去の特許文献を評価したデータを教師データとしてシステムに読み込ませると、文書の判定をさせると抽出された特許文献がノイズに近いのか、必要な特許文献に近いものかを判定することができます。類似度をパーセント表示すれば、その割合が高い順にソートして並び替えることで、確認すべき特許文献とノイズである特許文献を大まかに分別することができます。

また毎月同じ検索条件の新規特許を抽出し、確認するという場合には、さらにこの判定精度を上げることが可能です。検索で抽出した特許に対して、必要なキーワードと不要なキーワードの複数を別のＡＩに登録することで、キーワードの含有状況を示すことができます。これを、教師データを基に判定した結果と合わせて集計を掛けることで、より高精度のノイズ除去が可能になります。

作業のポイントは、このノイズ除去を１００％の精度の結果として使用しないことです。あくまでＡＩが実行したのは、確認すべき文献と、ノイズである文献の可能性による分類です。最後は必ず人間が確認する作業が必要です。しかし、最後に人の手が必要であるとはいえ、確認するべき文献とノイズである文献であるという可能性が事前に分かっている状態と、それらが分別されず混在している状態である場合では、確認していく作業の質が大きく異なります。ＡＩを使用したほうがはるかに効率的に作業を進めることができることは明らかです。高い重要性で抽出された特許文献は詳細に、ノイズである可能性が高い特許文献はザックリと読んでいけばよいのです。

ＡＩの判断と人の判断を重ね合わせることで、従来に比べれば非常に短時間で作業でき、負荷は軽くなり、かつその判断の精度を高めることができます。これこそ、ＡＩ活用の大きな利点です。別に、ＡＩの精度に期待をし過ぎる必要はありません。あくまで、ＡＩに必要とされている能力は人の判断の補助だと考えれば、ＡＩ活用の障壁は非常に低くなるはずです。

情報を多媒体で管理することをやめる

ＡＩなどを活用した作業効率化の大きな障害となるのが、多媒体から取得した、フォーマットがさまざまに異なる特許文献情報です。もし、知財業務の効率化に一歩を踏み出すのであれば、まず取り掛かるべきはフォーマットがバラバラな特許情報をすべて同一システムで管理できるように整えなければなりません。

一般的に各種特許調査に活用される特許文献は、複数の特許検索システムにより出力されるため、フォーマットはさまざまです。外国特許を取得した場合には国によって形式が異なることも多く、特許文献管理の一元化は難しいとか、できないなどと考えられることが普通でした。この前提が、特許文献情報のエクセル管理と非効率な作業工程、作業結果の活用の停滞を生んでいたのです。

知財業務の効率化を進める際に投資をするのであれば、最も予算を掛けるべき工程はこのフォーマットの統一といっても過言ではありません。基本的に特許文献に関する情報の管理や評価の編集は同じシステム内で実施し、関係者が皆そのシステムにアクセスして一元管理をしていくことが基本です。

特許調査の現場ではこれまでシステムの利用料の節減策として、システムの利用者を知的財産部門をはじめとする一部の人員に限定し、エクセルなどで出力をして評価を編集する手法が用いられてきましたが、このやり方では業務効率性は上がりません。システム導入による効率化を検討する場合には、基本的に取り扱うすべての情報をそのシステムに取り込めるような前提条件で実施するべきなのです。

検索データベースごとの業務はやめる

特許調査でのフォーマット統一のために、まずやめるべきは複数の特許検索システムから出力するエクセルを基準とした業務を行うことです。特許検索システムはシステムごとの使い方が複雑で、目的の特許文献を検索するためにはシステムへの高い習熟度と高度な専門知識が必要です。このため、ノウハウが個人に蓄積されやすく、業務を複数人で共有したり引き継ぎをしたりする際に難があるという問題がありました。

また、各システムで出力されるデータの形式や出力形式が異なっています。これまで多くの特許調査の現場では、各特許検索システムで出力された形式に多少手を加えた、異なるフォーマットのまま研究・開発部門に特許評価を依頼し、その評価結果も異なるフォーマットのまま保存されている状態でした。

これにより発生するのが業務管理の標準化と過去履歴の管理不全です。多くの日本企業の知財業務は個人単位、部門単位、事業会社単位によってまったく管理法が異なります。個人や部門の経験の蓄積により業務のノウハウが引き継がれるため、後進の育成にも手間がかかりますし、過去の特許調査の履歴を活用するにしても細かなルール作りや過去資料の管理に膨大な手間がかかります。一方で、この手法はその企業や個人、部門にとって最もやりやすい方法を採用しており不満が出にくいため、全体の効率性が悪くなっていることについては着目されず、放置されやすい傾向にあるのです。

問題を解消するには、複数の特許検索システムから出力するエクセルを基準とした業務を行うことをやめ、統合した知財グループウェア内に直接外部の複数の特許検索システムのデータをダウンロードし、一つのフォーマットの状態に統一するしかありません。

特許検索システムと自社の知財グループウェアの連携は簡単なことではありませんが、業務効率化を進めるうえでは避けて通れないポイントです。特許検索で出力された情報の管理を自社の知財グループウェアのなかで完結することにより、研究・開発部門に提供する特許調査のフォーマットを一律にそろったものにすること、特許評価の結果の入力も知財グループウェアのなかで完結することの2点がそろってこそ、知財業務の業務効率化をスタートさせることができるのです。

ノイズ特許に時間を掛けない

知財グループウェア内で表示する特許文献情報は、できる限り多数の文献情報について一画面のスクロール形式で多数の情報を見ることができるようにしなければなりません。研究・開発部門の評価担当者はこれまでエクセルでの評価に慣れているため、特許文献の詳細

【図表17】　全図面スクロール抄録表示

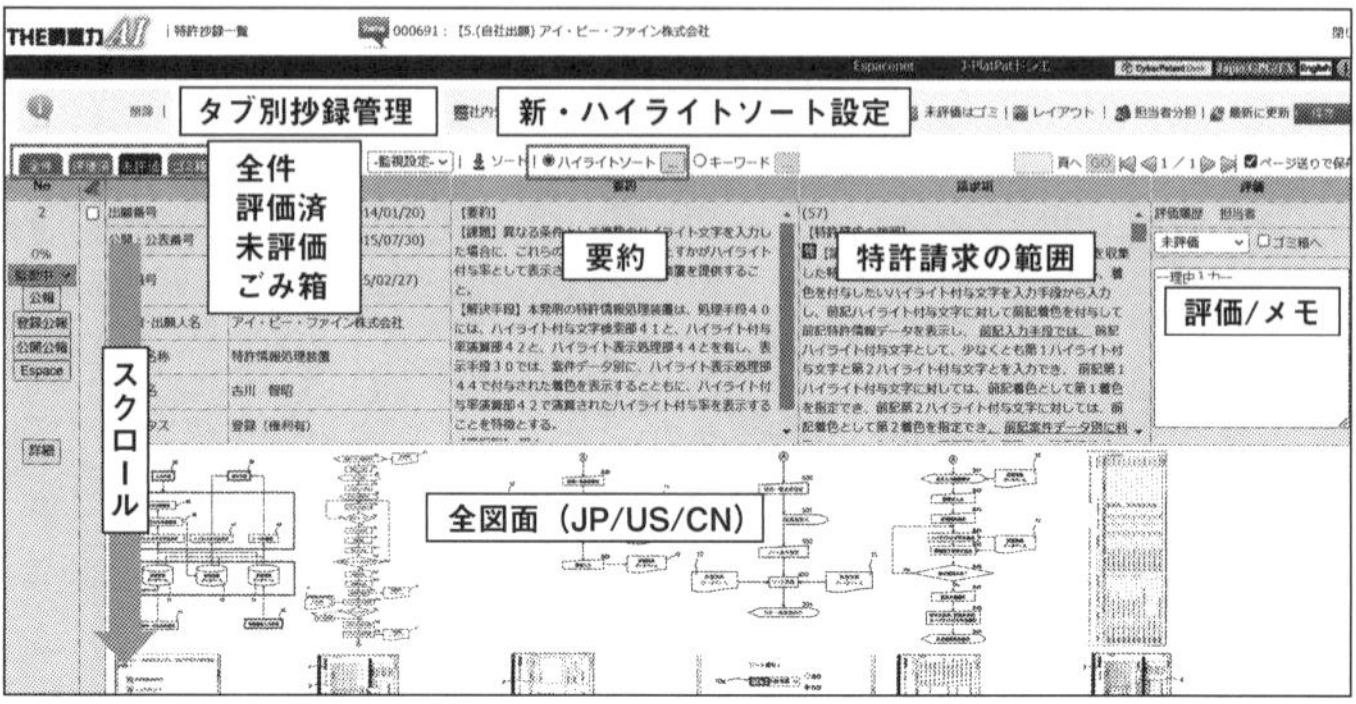

THE調査力AI

について一つひとつクリックをしなければ次の文献が表示されないシステムでは大量の特許を扱ううえで作業性が悪く面倒で手間がかかると考え敬遠されてしまいます。

特許文献情報は、出願番号、国際特許分類（IPC）、発明の名称などのデータのほか、要約、請求項、図面などを表示することで、クリックをして画面を切り替えることなく評価ができるように設定します。評価欄も同画面に設定し、評価入力までの時間が最低限で済むようにすることもポイントです。

さらに、知財グループウェア内で特許文献を読むインセンティブとして、エクセルにはないファイルの添付機能を搭載したり、特許文献情報を重要キーワードの出現数で並べ替えるソート機能を加えたり、必要に応じて特許文献情報をエクセル出力できる機能を備えておけば、エクセルファイル以上に使いやすくすることができます。

知財グループウェア内で作業を完結させるためには、クリック一つで、全項目表示やイメージの選択表示、特許公報の閲覧をできるようにするべきです。過去に社内で添付されたファイルやメモを参照したり、重要キーワードをハイライト表示したりできる機能を備えておけば、エクセルよりも作業効率性は上がります。

このように、知財グループウェア内で閲覧する特許文献情報の閲覧性を高めておけば、特許調査において関連性が高い特許を判断しやすいだけでなく、その特許文献情報がノイズ情報か否かの判断も非常にスピーディーに行うことができます。

新しいシステムを導入する際に重要なことは、作業性が悪くなったとか、前のほうがよかったなどと使用者に感じさせず、エクセル作業に戻らせないことです。そのためには、エクセルでの特許文献の評価の操作性の良さを新しいシステムに組み込みながら、エクセルにはない操作性の良さを付加することで、新しいシステムが便利だと使用者に感じてもらわねばならないのです。

特許評価管理業務は知財グループウェアで一元的に行う

これまでエクセルで閲覧・評価・入力をしてきた特許評価について、知財グループウェア内で閲覧・評価・入力を行うことにはメリットが多くあります。ＡＩほかの機能を活用したノイズ除去ができることはもちろんですが、過去の評価の履歴が蓄積されることによって、調査の重複を防いだり過去の評価を参照したりすることができるからです。

特許評価をエクセルで管理していた場合、過去の特許評価の履歴は、よほど管理が行き届いている場合を除いて十分に参照されない傾向がありました。時には過去に一度調査した内容について重複して特許調査の依頼があるという事象も知的財産部門、研究・開発の現場双方で起こっていたのです。

知財グループウェア内に特許調査の結果を蓄積するようになれば、過去の特許評価の履歴を参照しながら特許評価をすることができるため、特許評価の工程を大幅に効率化できるほか、過去の特許調査の履歴も確認でき、重複の調査が起こる恐れもありません。過去のデータを参照する際にも、エクセル管理の場合は特許評価をする部署や個人によって形式が異なっていたメモやコメントの書き方を統一することができるため、履歴の検索性も向上させることができます。

一方で、研究・開発部門のなかには、特許評価を慣れたエクセルでやりたい、プリントアウトをして読み込みたいと希望する人もいると思われます。その場合は、知財グループウェアの仕様をエクセル出力も可能にしておき、必要に応じてエクセル出力とプリントアウトができるようにすれば済みます。最終的に、特許評価の入力だけを知財グループウェアで実施する業務フローにすれば、現場の運用を大きく変えることなく業務効率化を進められます。

世界中の特許を日本語で調査できるようにする

さらに特許調査業務の大幅な効率化を進めるのであれば、特許評価の閲覧・入力を知財グループウェアのなかで実施するだけでは不十分といえます。海外特許の調査が多い企業にとって大きな人的負担となっている外国語での特許文献の確認をやめ、すべて日本語に訳したもので閲覧・評価を実施すべきです。

海外特許の外国語での閲覧・評価は非常に労力が掛かる作業です。さらに、外国語の特許だからといってノイズがないわけではなく、国内特許と同様に検索結果として出力された大半の特許文献がノイズ情報という状態です。翻訳をして読み込んだ特許がノイズだった場合の徒労感は多大なものです。慣れない外国語文献を急いで多数を閲覧していると、多くの研究者・技術者は翻訳の訓練を積んでいないため、どうしても翻訳・解釈のミスが発生してしまいます。特許文献を確認する際、解釈ミスは本来あってはならないものです。こうした煩雑さやミスを避けるためにも、日本語に翻訳された特許文献を確認するべきなのです。

特許文献をすべて翻訳するとなると、費用の面で予算が足りないという意見もあると思います。しかし、現在はＡＩを活用した機械翻訳技術の進歩により、ＰＣＴ出願や特許出願先の主戦場といえる米国、欧州、中国、韓国、ドイツ、フランス、英国、台湾、カナダの特許や実用新案公報の全文を日本語で翻訳したものを検索・表示するデータベースが開発されています。

機械翻訳はこれまで特許情報の収集や加工、提供などを担ってきた企業と特許検索システムを開発してきた企業が生み出したものであり、特許用の独自辞書や開発前の翻訳についての言語資源、機械翻訳開発のノウハウが活かされています。このため、特許情報のような専門性が高い文献であっても、技術用語の翻訳精度が高く、自然で読みやすい翻訳文の作成が実現できるまでになっています。また、請求項についても構文構造が日本語と大きく異なる英語の請求項について、書き換えパターンを用いて日本語の語順に自動翻訳ができるので、読みにくいということはありません。

費用は人の手による翻訳サービスと比較して非常に安く、最小契約数で社内共用すれば、会社として月に数万円しか掛かりません。特許評価にあたる研究者・技術者が外国語を読むことに掛かる時間あたりの人件費と比較すれば非常に安価だといえます。

翻訳された特許文献も、特許検索システムと同様に知財グループウェアの外で使われるのでは意味がありません。基本的にシステム連携することにより、知財グループウェア内で閲覧するようにするべきです。

知財グループウェア内に翻訳された特許文献を取り込むことで、特許文献の閲覧時間を短縮する以外にも二次的な効果が得られます。調査済みの国内特許文献と海外特許文献について評価後、英語や日本語等の別々のデータで検索することなく同一の日本語で効率よく検索することができます。また、その集計データを用いて分析する際にも、国内特許と海外特許を同時に扱うことが可能です。翻訳による評価ミスも専門的な機械翻訳により抑制されるため、特許評価の精度も向上するはずです。

ＡＩ技術の向上により機械翻訳の精度が向上し、翻訳の費用も安価になるなかで、これまでどおり人の手による翻訳によって特許評価を維持することは、非常に効率が悪い作業といえます。もちろん、原文を読むことによって研究者・技術者の語学力が向上するという良い側面もありますが、翻訳能力は研究者・技術者が最も磨くべき素養ではありません。研究者・技術者の時間という貴重な資源を有効活用し、発明に関する時間を少しでも確保するためには、最新の技術の恩恵を取り入れ、無駄な工程は少しでも排除していくべきなのです。

特許評価を見える化する

特許調査の工程を一つの知財グループウェアで完結することができ、その評価の履歴が同一フォーマットで蓄積されるようになると、実施した特許評価の妥当性も簡単に確認することができます。特許評価の結果をマトリクス表示することによって、担当者ごとの評価の異なりや、評価するタイミングによる評価のブレについて確認・検証することができます。

一般的に特許文献の評価は、研究者・技術者個々人の判断に委ねられています。業務のトレーニングの際に、先輩の研究者・技術者から指導を受けることはあっても、その評価の基準まで細かくマニュアル化されている場合はまれであるといえます。

これまでの特許調査は一件一件の特許の評価付けから業務が始まります。いわゆるいきなり「虫の目」の業務となっています。望ましくは件数のマトリクス表示で調査データおよび評価結果の全体を俯瞰する「鳥の目（鳥瞰図）」と、出願人や分類等による年度別の件数集

【図表18】 特許評価結果マトリクス

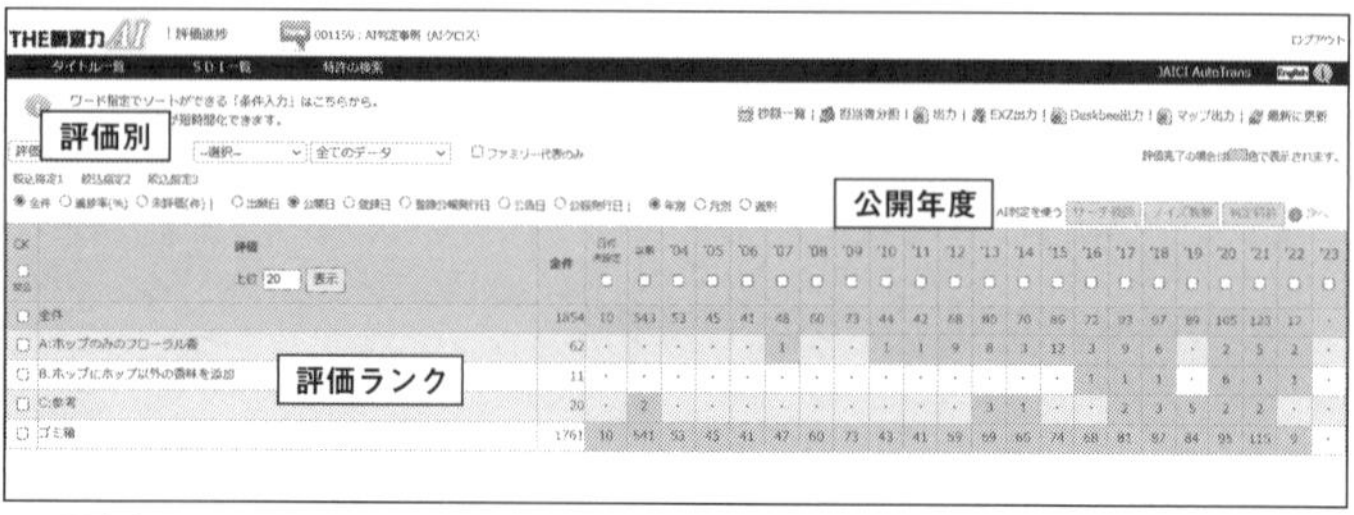

THE調査力AI

計が表示できれば、流れや傾向を見る「魚の目」で情報を得ることができます。具体的には、例えば評価基準が「Ａ」「Ｂ」「Ｃ」である場合には、各月の特許評価の各評価ランクの件数を表示し、その推移や割合を確認することで、評価の偏りを大まかに把握し、極端な評価がされていないかを確認します。偏りが確認された場合には、偏りがあったランクの特許評価を参照し、その偏りが部署単位の要因によるものか、個人単位の要因によるものかなど、細かく要素を分解した「魚の目」で原因を調査することができます。

この作業は、ＡＩを活用したノイズ除去工程の有効性検証にも活用することができます。ＡＩ機能を活かし、ノイズに近い特許と判定された特許文献についての人的評価が正しいか否かを検証するには、これまでの特許評価したマトリクス表示とＡＩを活用した効率化後のマトリクス表示を比較すればよいのです。２つの傾向が類似していれば、ノイズ除去は正しく機能していますし、大きく傾向が異なる場合は、ＡＩ

によるノイズ除去アシスト工程のどこかで問題があったことが分かります。

このように、特許評価履歴のマトリクス化を行えば、作業の妥当性の判断がボタン一つで容易にできます。これは、従来のエクセル管理では実施できなかった検証作業です。特許評価の工程を知財グループウェアのなかで完結させることができれば、業務効率化を果たすばかりか、その工程の精度の向上にも役立てることができるのです。

特許業務の進捗状況を見える化する

特許評価の結果を知財グループウェア内に入力するようになると、特許評価の進捗を管理することができます。権利者・出願人別で集計して管理したり、IPCや評価、担当者別、独自分類やSDI、国コード、AI判定結果別などさまざまな指標で集計したりと、研究者・技術者が入力した特許文献の評価を確認することができるのです。

これにより、特許調査での各特許評価の進捗を知的財産部門や研究・開発部門の上長が一目で把握できるだけでなく、その評価についてさまざまな尺度で分析・確認することができるようになります。特許評価する担当者の配置についても、業務量から考慮して割り振りがしやすく、途中で分担変更が必要な場合でも担当者を画面上で変更すれば、それまでの作業履歴をシステム上で引き継いだうえで容易に担当者を交代させることができます。これまで個々人が担当した特許評価の履歴も、担当者別にソートすれば一目瞭然で、業務の偏りの有無も可視化することができるのです。

多種多様な特許情報の収集・整理を自動化して手作業を極力なくす

さらに特許調査業務の効率化を進めるために実施すべき工程は、自動配信情報の取り込みとその整理の効率化です。特許調査で、競合他社の特許情報の調査は一度で済むものではありません。そのたびに特許調査に加えて、キーワードや技術分野などの条件をあらかじめ特許検索システムに登録しておき、その条件に該当する情報を定期的にチェックすることで、必要なデータを収集・管理する必要があります。これは「ＳＤＩ（Selective Dissemination of Information）」と呼ばれ、多くの調査ツールでは設定した条件に合致した特許文献がメールなどで定期的かつ自動的に配信されるサービスが提供されています。

ＳＤＩは定期的かつ自動的に配信されてくる点で非常に便利なサービスではありますが、監視対象が多い業種などでは、ＳＤＩの情報が未整理のまま蓄積されやすく、ＳＤＩ情報の整理や社内回覧で非常に手間が掛かる事象が発生していました。特にメールで配信される場合には、特許公報を閲覧するために数回クリックをする必要があったり、ＳＤＩの特許文献の評価を依頼する知的財産部門が特許抄録のエクセルを作成するか、研究・開発部門の人員がわざわざクリックをすることで一つひとつの特許を閲覧して、その評価をしていました。

この作業については、知財グループウェアにＳＤＩで取得した特許情報を自動で読み込む仕様にすることで、社内での共有および特許評価の依頼が非常に効率的にできるようになります。また、知財グループウェアの統一様式でＳＤＩ情報を表示することにより、ＡＩを活用したノイズ特許文献の分類ができるようになるため、研究・開発部門もＳＤＩを溜めることなくスピーディーに評価をしていくことが可能です。また、ＳＤＩで取得した特許の評価の進捗管理もマトリクスでできるようになるため、知的財産部門や研究・開発部門の担当者はＳＤＩ評価がどの程度進んでいるかを随時一目で確認することが可能になります。

また、継続監視すべき情報は、検索条件を指定して自動配信されるＳＤＩ情報以外にも存在します。具体的な個別の他社特許について、その審査経過などを定期的に調査しつつ監視する必要があるのです。これを「経過情報」と呼びます。

特許調査で監視対象と判断された特許情報を継続監視する必要性があります。自社の製品によって他社が出願中の特許を侵害する恐れがある場合には、情報収集をすることで特許成立を阻止するという手段がとれることもありますし、監視していると該当特許が権利化する可能性が消滅したり特許請求の範囲等の補正により権利侵害の恐れがなくなったりすることもあるからです。

この経過情報を確認するには、国内特許の場合は特許庁が公開しているデータベース「Ｊ‐ＰｌａｔＰａｔ」を参照します。海外特許の場合は各国特許庁のデータベースにアクセスをすることで確認をすることができます。このように、特許単体の確認作業としてはシンプルな作業であるため、企業によっては手動で確認している場合も多々あるのです。

しかし、特定の発明をある国に出願したあとに、この第一国の出願に基づいて優先権を主張しつつ、他国にも出願する「パテントファミリー」が監視対象となると、監視件数が膨らみ、調査の負担が大きくなってしまいます。このような情報を自動で取得できるようにシステムを組んでおけば、経過情報の確認作業を大幅に省力できるようになります。

経過情報の取得については、すでに世界90カ国以上の地域の特許情報と経過情報を網羅している既存のシステムが存在しています。そうした企業とシステムを連携することで国内だけでなく海外特許についても、経過情報を自動で取得できるようになるのです。

特許情報の収集に限らず知財業務の効率化を進めるうえで重要なことは、すでにある優れたサービスを上手に活用することです。知財業務の一つひとつは専門性が高く、ワークフローを自動化・効率化することが極めて難しい特徴があります。このため、機能を一つひとつ自社で開発していては役に立つシステムとして成立するまでに非常に長い時間が掛かってしまいます。ともすれば、開発をしている間にその機能が時代遅れになる可能性があるのです。

知財業務は一つひとつの作業が非常に煩雑かつ工程も多い作業だけに、多くの専門のシステム会社が機能を特化した優れたシステムを開発しています。ただ、その機能一つひとつでは業務全体の効率化に至ることができないため、そうしたシステムを活用し、知財グループウェアを成立させることが効率化への一つの答えだといえるのです。

他社動向・開発技術動向をリアルタイムで見える化する

ＳＤＩの情報が知財グループウェア内に格納されるようになれば、他社の動向や開発技術動向をクリック一つで確認することも可能になります。知財グループウェア内では、日々検索条件に合致した公開特許情報が取得され、その出願人をはじめとする属性情報が取り込まれています。この情報を基にソートを掛け特許情報を確認することで、特定の企業や特定の研究者・技術者がどの程度特許を出願しているかを一目で確認することができるのです。

他社動向や開発技術動向を把握するために一覧として確認すべき情報はそれほど多くありません。すでにＳＤＩで条件が指定されている公開特許情報について、企業名や筆頭発明者別にソートができていて出願数の把握ができれば、同分野の研究者・技術者なら、さらに詳細に確認すべき特許を動向から判断することができます。

このマトリクス表示について、エクセルによる特許評価や管理が行われている場合には、

【図表19】 出願人別マトリクス

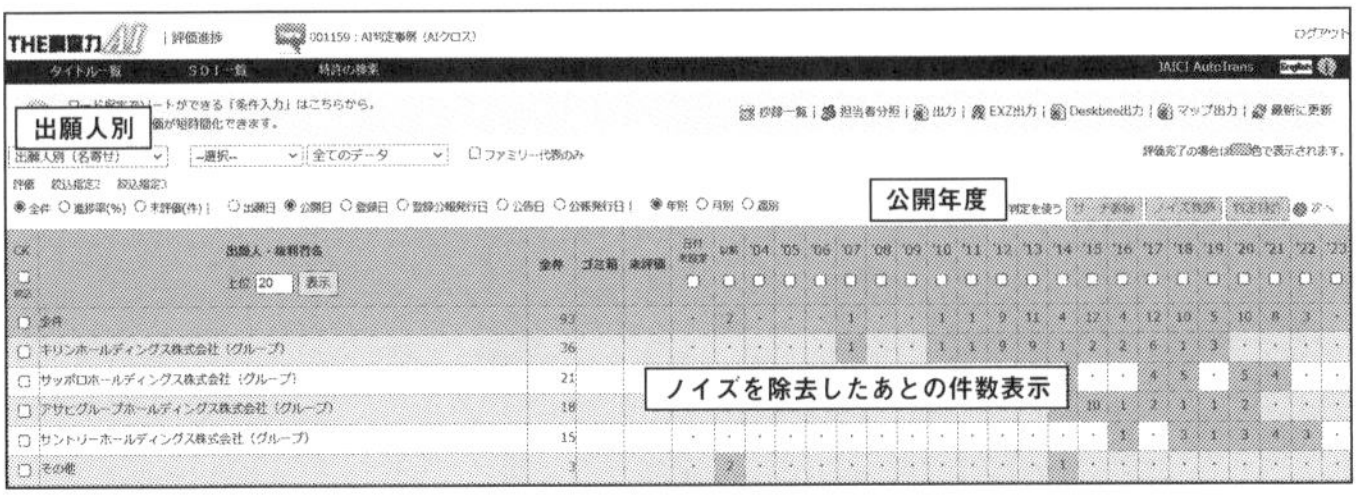

THE調査力AI

出願人として登録された企業名や筆頭発明者について個別にデータとしてエクセルでセルを作成し、集計を行う下準備をしたうえでマップを作る必要がありました。特許検索システムやＳＤＩにより、配信された特許文献のデータを整理し直す作業ほど効率化からほど遠い作業はありません。

ＳＤＩで配信され、自動取得したデータの各項目を知財グループウェア内に蓄積しておけば、情報を加工することなく、確認したい項目に沿った特許出願数の推移や動向をソートして一目で確認することができます。この機能を活用することにより、他社の出願動向や開発技術動向の把握が格段に速くできます。このような特許文献のシステム管理により、特許文献の電子データ化がもたらした研究・開発サイクルの短期化と同様の効果が生まれることが予想されます。この技術自体は、特許文献を知財グループウェアに読み込むことができれば比較的容易になるため、近いうちに知財業務の標準的な他社動向や開発技術動向の確認フローとなると考えられます。

こうした手法を取り入れないことは、すなわち研究・開発のスピードに遅れを生じることにつながり、企業競争力の低下も引き起こしかねません。特許文献を知財グループウェアで閲覧することは、単なる閲覧媒体の変更にとどまらず、企業のビジネスのサイクルにも影響し得ることなのです。

特許マップはリアルタイム化する

特許情報を整理、分析、加工して図面やグラフ、表を作成し、視覚的に自社や他社の出願動向を表現した特許マップについても、手を掛けて作り込むことはもうやめるべきです。

特許マップの作成方法については、取得した特許文献データをエクセルに入力することで集計し、図表を作成する方法がインターネットで多数、紹介されています。この手法については、予算がない中小企業でも手軽に用いられる手法として否定されるものではありませんが、特許文献の取り扱いが多く、業務も過多である中規模以上の企業で実施するには負担が掛かり過ぎるので効果をよく見極めたうえで実施すべきです。また、特許マップは本来、さまざまな視点やテーマに基づいて作成されるものであって、複数作成が前提となっています。この作成を手作業でしていたのでは、膨大な工数が必要となってしまいます。このため、特許マップの作成は基本的に手作業でやるべきではないのです。

このため、特許マップは20年ほど前からさまざまな特許分析ツール事業者が有償で作成するサービスとして提供されるようになりました。特許マップで比較的に多く使用される分析イメージはある程度、定まっています。どの分析手法も、データがそろえば作成は難しいものではないからです。

【ランキング分析】
出願人や発明者、国、技術分野などの主要項目について件数をカウントします

【侵入分析】
出願情報に基づいて新規参入時期や継続期間などの参画実態を表示します

【時系列分析】
時系列で出願件数の推移に基づいて業界の流行や変遷を表示します

【課題・解決分析】
縦軸・横軸にそれぞれ課題・解決手段の各項目を表示して交差する点にその件数を表示します

【材料・用途分析】
競合他社の材料・用途などの開発アプローチを縦軸・横軸で表示し、交差する点に件数を表示します

【相関関係分析】
特定の業界での共同出願の件数をマトリクス表示します

【レーダー分析】
各企業の出願動向をグラフ化して技術分野の傾向を表示します

これらの特許マップは、技術を核とした新たな市場に進出する際の競合性の検討や、資金調達先やパートナー企業への説明、知財についてのリスク評価などさまざまな場所で用いられます。一般的には、特許分析ツールの自動作成機能を活用し作成した特許マップにさらに手を加えて仕上げていきます。これには1～2週間ほどの労力を掛けることが一般的で、この作業が知的財産部門の業務の負荷になっている場合もあります。

もちろん、このように手を掛けた特許マップを作成することは必要なことです。経営陣へのプレゼンテーション等に用いる場合には、見やすさ・分かりやすさが求められるため、性能の良いツールを使い、手を掛けて作り込むことが必要です。しかし、研究・開発部門のメンバーが日常的に利用する目的で使う場合には、1～2週間掛けた見栄えのいい特許マップが必要かといえば、そうではありません。

研究・開発部門が必要としている情報は、「現在」「知りたい対象の動向が」「どうなっているか」というリアルタイムな情報です。これを知るために知的財産部門に特許マップの作成を依頼して1～2週間後に結果が分かるようでは、即時性の問題がありますし、知的財産部門に手間を掛けてしまうため依頼しづらかったり、期待した内容と違っていたりするという側面もあります。また、研究・開発部門が傾向を確認したい項目は広範に及ぶことが多いため、労力を掛けて特許マップを作っていては、その数多い確認項目に対応することができません。

この問題は、知財グループウェアに必要な情報をソートして傾向を把握できる機能を搭載させておけば解決できます。研究者・技術者は自身の関心に沿って、特許情報をソートすることで、即座に必要な情報の傾向をつかむことができます。事前に設定しておけば、常に特定の条件の動向が一覧で表示されたり、グラフ化されたりする機能があるとなお良いといえます。

現在必要とされている特許マップのうち、手を掛けて作り込むべきものはごく一部です。その需要の多くは「今すぐに概略を知りたい」という項目であることが大半です。情報化が進み、スピードが求められる研究・開発の現場において求められる機能は、今や特許マップのリアルタイム化なのです。

自社特許の情報を知財グループウェアで活用する

特許情報が自動取得されるようになると、自社の出願特許情報の管理と共有も便利になります。しかし、一般的に企業において出願情報は非常に秘匿性が高い情報であるため、セキュリティー性が高い出願管理システムを構築し、社内の限られた人員にのみ閲覧ＩＤが割り振られる運用がなされています。自社の出願特許情報についての閲覧が限定されると、特に未公開の出願特許情報については部門間で共有できないほか、出願した部門であっても出願が現在どのような状態であるかを知的財産部門に問い合わせなければ知ることができないという状況に陥りがちです。

自社の出願特許情報について、セキュリティー上問題のない情報を他社特許と同様に知財グループウェア内に格納すれば、どの発明者のどんなプロジェクトがどういった出願をして、その審査状況がどうなっているかを異なる部門であっても簡単に引き出すことができるようになります。情報を開放することがセキュリティー上の課題となる場合は、閲覧権限を部門の責任者のみに設定するなど、無秩序な閲覧や情報の持ち出しをしっかりと制限することが可能です。

自社の出願特許情報をリストとして保存しておけば、発明者別、プロジェクト別、分類別などで統計を取得したり一覧表示をしたりすることができます。これらの機能により、自社出願の全体像を見通すことができるため、出願戦略を検討するための準備も非常に簡単にできるようになるのです。また、経過情報を自動取得することで、出願した部門による審査情報の把握だけでなく、知的財産部門による年金管理や審査請求の要否などさまざまな管理の利便性も向上します。

これまで自社の出願特許情報は社外秘であるため、社内での情報管理についても非常に高いセキュリティーが敷かれてきましたが、研究・開発の促進の点から考えれば非常にナンセンスな話です。自社の技術のうちどのような内容であれば特許を申請することができたのか、その拒絶理由通知にはどのような指摘がなされているのか、結果として特許を取得できたのはどのような技術であるのかという履歴は研究・開発の戦略を立てるうえで非常に重要な情報です。

ＩＴ・デジタル技術の発展によって研究・開発のサイクルが短期化する昨今、社外の情報だけでなく社内の情報をいかに効率的に活用し、新しい発明を生んでいくかが問われているといえます。現代の知財業務ではリスクを過剰に恐れる秘匿一辺倒の情報管理を脱し、自社の出願特許情報の有効活用とセキュリティーを両立できる手法を各企業が考えることが求められています。その最も優先順位の高い見直し対象が自社の出願特許情報を社内で共有していく手法の検討だといえるのです。

過去データも徐々に格納していく

知財グループウェアを導入するにあたって、過去の特許評価データをシステムに登録するうえでどのようにすればデータ移行できるかという声もよく聞かれます。知財グループウェアを開発もしくは選定するうえで、過去の特許評価データを読み込む機能は必須といえます。しかし、過去の特許評価データをすべて読み込むことを労力の最優先事項としていては、知財グループウェアの導入が進みません。優先順位としては、まずシステムを導入し、新しく特許検索により読み込んだ特許文献の評価データやSDIにより取得して評価したデータの蓄積を行いながら、定着してきたときに過去のデータの登録をしていけばよいのです。

なぜ過去データの登録が後回しでよいかというと、これまで一般的になされてきたエクセルでの特許評価の蓄積については、そもそも集計性や管理性が悪く、活用が不十分な状態であったからです。その集計には手作業によるデータの加工が必要なことが多く、集計が必要な場合は特許調査のプロジェクト一つひとつのファイルをそのたびに開いて参照する必要があることが大半でした。そのためすでに活用が難しい状態のデータであるのならば、新しくシステム導入により効率化されたデータと、旧来の管理方法のデータが併存していたとしても大きな問題にはなりません。もちろん、すべてのデータが管理され、業務の効率化に用いられることは理想ではありますが、優先して見るべきものは、今調査すべき研究・開発テーマに準じた特許情報と、監視対象となっている特許情報の管理です。

過去のデータをすべて知財グループウェアに取り込むためには、その企業が蓄積している特許調査データの量にもよりますが、数カ月程度が必要です。この過去データの活用については、企業がその価値をいかに見いだすかによって優先順位を判断し、段階的に格納すればよいのです。

予算に余裕がある場合は、特許情報を取り込むためのフォーマット整理を外注し、知財グループウェアに取り込む場合もあります。過去データを格納する手法やタイミングは企業ごとの人員や予算に合わせて行うべきですが、最終的には可能な限りの過去データを格納すべきです。過去データを格納することで、二重管理を防ぎ、過去の特許調査の履歴を今後の特許調査に活かすことができるからです。

過去データはこれまで研究・開発部門と知的財産部門が積み重ねてきた業務の蓄積であり、

資産です。この資産を無駄にしないためにも、過去データは導入後に段階的にフォーマットを整理して知財グループウェアに格納していくべきなのです。

タイトル管理機能の活用で社内特許調査を見える化する

知財グループウェアを導入する際には、一般的に業務効率化システムで用いられている機能も積極的に活用すべきです。業務やプロジェクトごとにタイトルを付与し、それぞれの担当者やセキュリティーのレベルを設定できる「タイトル管理機能」を活用すれば、効率的に業務を進めることができます。

知財業務に関するツールと業務管理ツールに関しては、それぞれ別のシステムを併用しているという企業も多いかと思いますが、効率化を重視するのであれば一つの知財グループウェアで完結することが理想的です。

特許調査に活用する特許情報と業務効率化に関する機能が一つの知財グループウェアに搭

載されていると、作業と業務管理がシームレスにつながり、ストレスなく業務に取り組むことができます。また、作業の進捗管理をしていくうえで作業者が内容を上長に報告する手間が省けるという利点もあります。

複数のシステムを利用すると、作業担当者からは「効率化ツールを導入したがためにかえって手間が増えた」という批判が起こりがちです。これはシステム導入時によくある反発です。システム導入に関してよく起こるトラブルとしては、管理職にとっては業務の内容や作業の進捗が以前よりも見える化して管理がしやすくなった一方で、作業の現場では入力の手間ばかり増え、かえって負担が増すという事象が挙げられます。システムへの入力作業がコンプライアンスの徹底や顧客の安全保持など、明確な目的がある場合は現場の納得感が得られやすい一方で、効率化がうたわれるあまり、かえって手間が増してしまった場合は作業現場の反発を招き、入力がおろそかになる現象が起きがちです。こうした事象は、業務管理システムが真に現場の作業効率を改善していないために発生します。

本来、知財グループウェアと業務管理システムは一体となって運用されるべきものです。すでに契約してしまっているからという理由で、別のシステムを無理やり併用していては効率化にはほど遠い状態になります。知財グループウェアを導入する場合には、同知財グループウェアと業務管理システムが可能な限り一体となっている設計をしていくべきなのです。

メニューに拘束されない自由でユニバーサルな仕様が不可欠

一つのシステムに多数の機能を搭載した場合に、避けて通れないのが業務工程を決めつけたメニューの煩雑化です。特に知的財産部門や研究・開発部門、そのなかでも管理職と非管理職など目的や作業が異なる人物が同時にアクセスするシステムを作ろうとすると、どうしてもメニューが多くなってしまい、目的のボタンが見つけづらい、無駄な画面が多く使い方を覚えることが難しいという状況に陥りがちです。

これを避けるためには、固定した使い方を推奨するのではなく、個々人が自由に画面を設定できるユニバーサルな仕様のシステムにすることが求められます。一般的にユニバーサルデザインというと文化や言語、国籍や年齢、性別や能力などの違いにかかわらず、誰でも利用できることを目指したデザイン設計という意味で用いられますが、ここでは利用対象者となる人物の誰もが使いやすいデザインであるという意味で「ユニバーサル」を用います。

【図表20】 業務効率化に関する機能を一つにまとめた知財グループウェア

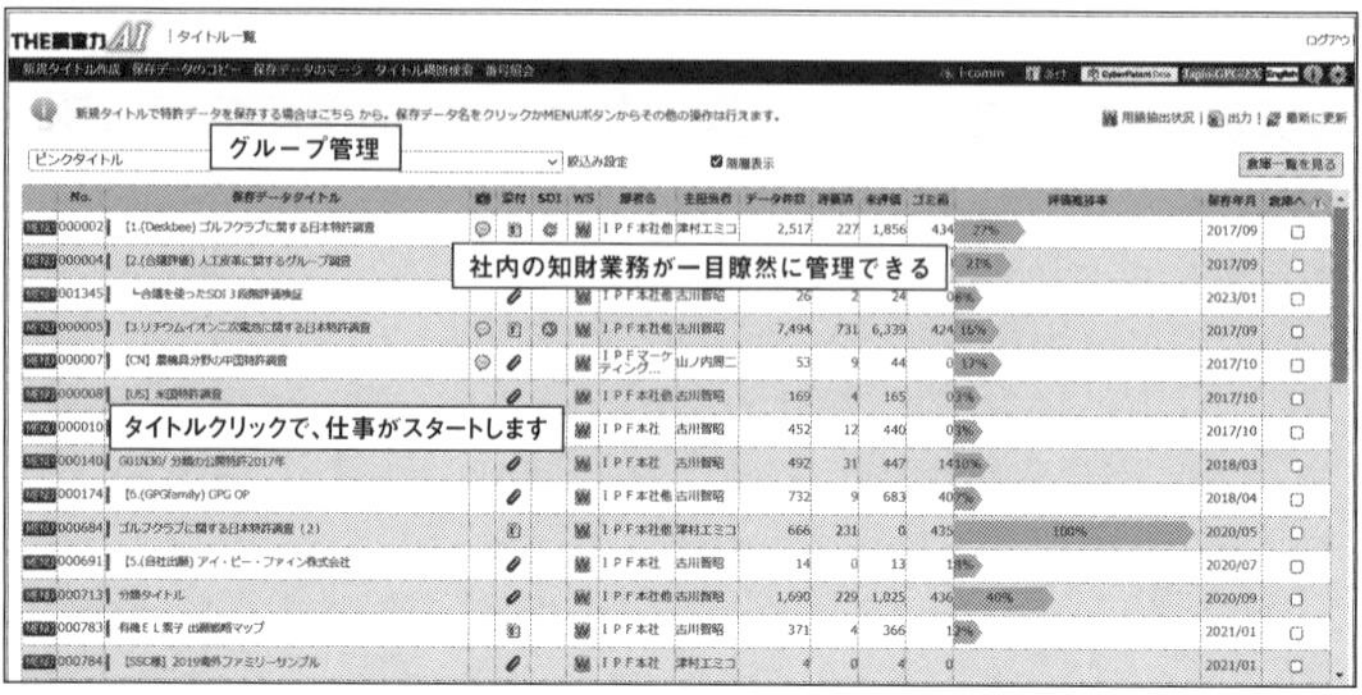

THE調査力AI

知財グループウェアで必要なユニバーサルの観点は、立場や作業内容が異なる担当者が同じデータベースを共有し、ストレスなく活用できることです。そのため知的財産部門や研究・開発部門どちらかに焦点をおいた開発をしていてはこの目的は達成できません。

ユニバーサルを実現するための方法の一つが、システムからメニューを取り除くことです。メニューがあるとどうしても特定の業務に合わせたボタンが必要になり、システムの使い方が偏ってしまう傾向にあります。そこで、ボタンは機能に関するもののみに絞り、目的に応じてクリックをすれば必要な情報を取り出せるよう設計しておけば、利用する機能のクリックボタンを選択するだけで最短の方法で目的の情報を得られるようになるのです。

もちろん、このデザイン手法については一長一短があり、システムやウェブサービスを使い慣れていない人にとっては、明確な使い方が提示されていないため使いにくいと感じる場合もあるようです。これは、従来のシステム開発が専用の機能に特化したものが多く、マニュアルに沿ってボタンを押せば答えにたどり着けるという開発がされてきたことにも起因しています。しかし、知財グループウェアは専用の機能に特化したものではなく、部署横断で知財業務を包括し、共有することで効率化を成し遂げることにあります。開発の際には、従来の機能特化システムとはまったく異なる使い方が想定されていることを念頭におき、使いやすさを設計する必要があるのです。

メニューを取り除いたシステム設計にあたっては、使い方を巡って困惑する社員を対象に根気強い研修やサポートが必要になります。こうしたサポートの手間の多さから業務効率化を断念しそうになる企業も少なくありません。しかし、部署を横断して業務を共有し、一つのデータベースを活用することで業務全体を効率化していくという流れは、時が経つにつれていっそう求められるものとなるはずです。研修やサポートなどに力を入れて、多くの社員がユニバーサルなシステムにアクセスできる環境づくりをすることこそが、システムによる業務効率化で最も力点をおくべきであるといえるのです。

システムの導入は企業風土の転換と同義

最新技術の代表例であるＡＩの活用から、これまでのさまざまな知財業務関連ツールとの連携、部署間を横断する業務効率化のためのフォーマット統一、他部署から同システムにアクセスし利用をするためのユニバーサルデザインなど、知財業務の真の効率化を目指すうえで知財グループウェアに求められる要件は多岐にわたっており、非常にレベルが高いといえます。この煩雑さから、一度に大きく変革をすることを避けて、従来使用しているシステムを基礎として使用するシステムを少しずつ増やすことで、徐々に変革を図ろうとする企業も存在します。しかし、そのような姿勢では変革は成し遂げられません。

システムの導入は、目的を成し遂げる手段として考えられがちです。しかし、ＩＴ・デジタル技術を活用した大きな変革が進む現在、システムの導入は手段であるとともに目的でもあるのです。システムの導入に伴って必須であることは、従来の業務フローを大きく見直し、知財業務に従事する社員の働き方を大きく転換させることです。この転換なくしてシステムを導入する意味はありません。

システムを活用した業務内容の効率化は単なる省力化のみにはとどまりません。最新の技術を活用するために、社員一人ひとりのIT・デジタル技術に対する認識や知見をアップデートするとともに、技術を使いこなすためのトレーニングになるという側面をもっています。

この工程には時に大きな痛みも伴います。昔ながらの訓練の積み上げを重視するベテラン社員のなかには、新しい技術に抵抗を示すだけでなく、社員一人ひとりの技能の低下などを指摘する人も出てくることが予想されます。しかし、この意見に押されていては、企業風土は旧態依然となり、業務や判断のスピードアップが求められる現代において、競争力をなくしていく原因にもなりかねません。

システムによる大幅な知財業務効率化を図るアプローチは、知財業務に携わる部署全体の風土の改革を行わなければ決して成功しません。これは決して簡単なことではなく、成し遂げるためには非常に粘り強いアプローチと強いメッセージが必要です。そのため、業務効率化プロジェクトには強いリーダーシップをもった旗振り役が絶対に必要であり、責任の所在が不明確なまま、なんとなく導入するようでは決して成功しません。

システム導入で業務効率化を試みる際には、経営陣に導入の効果とメリットを丁寧に説明して理解を得るとともに、知財業務に携わる社員に向けて変革を呼び掛ける強いメッセージを発してもらうことも必要です。経営トップからの分かりやすく力強い方針の打ち出しがあれば、システム導入はスムーズに進むはずです。それほど、システムを導入する成功のカギは人の定性的なモチベーションに掛かっているのです。

また、メッセージを発する経営陣、担当者、システムを利用する社員一人ひとりが、変革のプロジェクトについて単なる新しいシステムの導入ではなく、非効率をそのままにしてきた旧来の企業風土の変革を目指したものだと正しく理解する必要があります。その実行のためには、システム導入担当者が知財業務効率化の背景とその手法を正確に理解し、システム導入と働き方の改革が同義であることをよく周囲に説明していく必要があるのです。

忘れてはならない業務効率化の目的

知財業務を効率化するシステムである知財グループウェアの導入に際して、忘れてはならないのが、業務効率化の先にある目的です。企業では、システム導入に際しての費用対効果の検証が必要なことから、どうしてもシステム導入の目的が作業時間や人件費の削減に向けられがちですが、知財業務の効率化では、それは真の目的ではありません。

知財業務の効率化によって成し遂げるべきは企業の開発力の向上です。開発力の向上とは、研究・開発部門の人員に十分な時間と予算が割り振られ、多くのリソースを新たな開発に注ぎ込み、特許を取得できる技術が多く生まれる状態を指します。知財業務の効率化による特許調査のスピードアップや過去の特許調査結果の活用、自社出願特許の情報共有、他社動向の自動取得、作業進捗の状況を見えるようにしていくことなどはあくまでも工程に過ぎません。すべては、知財業務に関わる作業を省力化し、スピードアップすることで研究・開発のサイクルを早めることにあるのです。

私が知財業務の効率化に取り組んだきっかけも、当初は知財業務を高度化するシステムを開発しようとして企業の研究・開発部門や知的財産部門と対話を重ねるうちに、ふと、その責任者が「いろいろやりたいことがあるが特許調査がとにかく多くて手が回らない」とため息混じりに語ったのを聞いたことがきっかけでした。日本の研究・開発部門や知的財産部門は、現在多くの作業で日々追われている傾向にあります。しかし、その作業を完遂することが仕事の目的であってよいわけがありません。研究・開発部門は新しい研究・開発テーマに十分な時間をもって取り組み、知的財産部門はその研究・開発の成果により生まれた技術の権利化とその運用を促進する本質的な役割が果たせる状況に環境を変えていくことこそが、知財グループウェアの果たすべき役割です。

開発力の向上という大きな目的は、長い期間の成果を評価しなければその達成の成否が見極められない、ややあやふやな事柄といえます。しかし、評価に長い時間が掛かるからといって無視してよい事柄ではないことは、現在の日本の状況をよく考えてみれば明らかです。システム導入を進める際には、この本来の目的を忘れることがあってはなりません。それと同時に、システム導入についての関係者、システムの利用者に対してこの大きな目的を伝えることで、全員の意識を発明の創出に向けることが必要です。

知財グループウェアの導入が単なる省力化を目的としたものではないということが広く理解されて初めて、効率化により創出された時間が優先的に発明の創出に使われることになります。次々に新たな作業が発生してしまっては、発明に時間を割くことができません。

第5章

理想は事業部や
研究所単位で進めるDX
企業別・知財DXへの壁と挑戦

どの企業でも苦戦する新システムの導入

知財グループウェアの導入による業務効率化は、紙やエクセルでの管理が広く普及している日本の知財業務を現代のＩＴ・デジタル技術の進歩に適応させるためには避けて通れません。その導入は決して簡単ではなく、多くの企業でその導入と普及に長い時間を要しています。

新しいシステムを導入する際に導入担当者がまず直面するのは関係者とのコミュニケーションの問題です。まず、知財グループウェアの機能や効果については、知財業務に深く根差しているので、経営陣にその効果や効能、成果の測定方法を理解してもらうことが難しい特徴があります。また、システムの利用者も、知的財産部門や研究・開発部門、時には外部の特許事務所など、部署やバックグラウンドが異なるので、相手の立場を考慮した説明が難しいという課題があります。

効率化の対象である知財業務についても、業界によって特徴が異なるため、すべてが特定の知財グループウェア内でスムーズに機能するとは限りません。使いながら最善の方法を探っていく必要がありますし、開発者であるシステムベンダーに機能改善の要望を大いに伝えることが重要です。

これらの課題の対処には、企業が所属する業界特有の問題や社内風土が如実に表れます。時には、解決策のイメージが描けていても、諸般の事情から課題が解決されずに、そのまま放置されてしまうケースも存在します。

ここで紹介する事例は、実際に知財グループウェアを導入した企業のエピソードに多少の変更と脚色を加えて書いたものです。システムの導入と業務の効率化を計画している人たちが、導入工程を具体的にイメージし、導入の意義について理解できるように、企業名は伏せつつもできる限りその企業の直面した困難や苦しみ、導入の効果を分かりやすく記載しています。

事例1

目指したのは知的財産部門での業務効率化

スモールスタートで業務改善に挑んだA社

A社プロフィール

業種　：総合化学メーカー
社員数　：2万5千人（連結）
商品領域：化学製品、エネルギー製品、機能材料ほか

導入のきっかけは一研究者の疑問

A社は古くからある日本の大手総合化学メーカーです。商品の展開領域は非常に広く、各商品分野に関する自社の研究所が10カ所あり、研究領域および技術開発領域も多岐にわたっていました。その研究・開発の成果を権利化する特許出願数も膨大な数で、年間3000件ほど出願しています。知的財産部門にも豊富な人員が割かれており、本社の知的財産部門には50人ほどが常に在籍しています。

A社が知財グループウェアの導入を検討したのは、とあるスタッフが研究・開発部門から知的財産部門に課長職として異動したことがきっかけでした。当時40代前半だったそのスタッフは、個人的な探究心から世の中のさまざまな効率化システムに興味をもち、私生活で実際にシステムを利用し、生活のさまざまな作業工程を効率化して楽しみ、普段からIT・デジタル技術の進歩の恩恵を実感していました。そして、特許調査がエクセルで管理され、履歴の整理に多大な時間を要している現状に直面し、効率性に疑問を抱いたのです。

もちろん研究・開発部門にいた頃はスタッフ本人も特許調査に従事してエクセルで特許評価業務に取り組んでいました。しかし当時は、特許評価業務での作業は評価すればそれで終わりで、実施された特許評価とその集積がどのように活用されているかについて深く考えたことはなかったのです。

知的財産部門で実施されていたエクセルのデータ管理は非常に煩雑でした。エクセルに入力された評価データはそのまま放置こそされていなかったものの、非常に細かいルールが定められ、形式をある程度整えられたあと、厳密なファイル管理によって共有サーバーに格納されていました。厳密に管理されている一方で、そのファイル管理の階層は非常に複雑で、知財業務の経験が豊富な知的財産部員でないと適切なデータが取り出せない状況でした。異動したばかりの頃の業務指導では、特許調査データの取り扱いについて習熟するには5年以上の年月が必要だと伝えられました。

これまでの業務では先端分野の知見を常に取り入れた研究を行い、私生活でもＩＴ・デジタル技術に親しんできたスタッフは、エクセル管理が多忙な知的財産部門の業務を圧迫しているように感じ、特許調査業務でのエクセル使用に強い違和感を覚えました。そこで知的財産部門配属から1年が経ち業務にある程度習熟できた段階で、思い切って自らの疑問を部門長に問い、世の中にはこの課題を解決するツールが存在するはずだと提案しました。部門長は研究・開発部門も巻き込んだ問題であると受け止め、同部門の上長にも話を通し、まずは効率化案とその構想を解決するツール探しから始めることになりました。

スモールスタートで始めざるを得ない企業規模

その後、効率化のプランを詳細に立案するために業務効率化ツールを探すことになりました。このスタッフと部門長、研究・開発部門の上長の3人は効率化で必ず成し遂げる必要があるポイントは何かについて考え、以下の3点をゴールとして設定しました。

〈業務効率化のゴール設定〉

・知財業務の効率改善を成し遂げること
・エクセル管理をやめること
・現在より特許情報の活用が行えること

このスタッフは、インターネットで情報を収集しながら業務効率化システムの展示会などを見にいって、条件に合致するシステムを探しました。その結果、知財業務の効率化に特化し、条件に合う知財グループウェアを探し出すことができました。知財グループウェアの機能から考えれば、社内に導入することで当初定めたゴール設定よりも多くの効率化ができそうでしたが、導入は全社的なものとすることはかないませんでした。

A社は企業規模が大きく多数の研究所と開発部門を抱えており、その研究・開発領域も非常に広い特徴がありました。知的財産部門はそれまで、たくさんの領域で開発される技術の権利化をこなしてきており、業務フローは非常に細かくマニュアル化され、強固になっていました。たまたま効率化に良い知財グループウェアを発見したからといって一人の知的財産部員のスタッフの意見だけで、非常に多人数の研究者・技術者・知的財産部員の業務フローを変更することは難しかったのです。

そこで、そのスタッフと上司、研究・開発部門の上長はまず、システム導入の効果を社内で立証するため、協力が得られそうな社員や部署を中心に対象を限定する形で知財グループウェアを導入することにしました。研究・開発部門、知的財産部門の双方で新しいチャレンジを好みそうな社員、早期から新しいプロジェクトに関わりたいと考えている社員に対して個別に知財グループウェアを試してみないかと声を掛けたのです。幸い、ある研究所からは複数の賛同する声が上がり、いくつかの導入チームをつくることができました。また、知的財産部門の若手部員を中心に試してみたいという声が上がりました。

研究・開発部門、知的財産部門それぞれで導入チームができると、それぞれのチームでは抱えている課題に合わせ、知財グループウェアを活用しながら達成すべき目標を設定しました。目標は3カ月のトライアル期間を設けて課題ごとに達成できたかどうかを検証することになりました。

得られた効果の実感と見えてきた課題

トライアル期間を経て、研究・開発部門と知的財産部門それぞれの導入チームにおいて効果と課題が見えてきました。

知的財産部門の導入チームでは、知財グループウェアの導入により特許調査に使用する特許情報のフォーマットが統一できたことによって、エクセルでの管理を終了し、今後の特許情報の活用に対する期待がもてる結果になりました。一方で、導入チームのみが運用していてもその効果は限定的である可能性もあり、今後特許情報を活用する場合は知的財産部門全体への知財グループウェアの導入により特許調査で研究・開発部門へ提供する特許文献フォーマットの統一が必須だという結論に至りました。フォーマット統一を実現するには、知的財産部門全体のワークフローと運用ルールを知財グループウェアに合わせる必要があることも分かってきました。

研究・開発部門の導入チームの導入効果は上々でした。導入チームに所属する研究者・技術者は新しい取り組みが好きな社員ばかりだったこともあり、特許調査の知財グループウェアへの入力も、ＡＩソートによるノイズと要確認の特許文献の分離機能も問題なく使いこなしていました。加えて、研究者・技術者に好評だったのが海外特許の日本語和訳を用いた特許文献の評価でした。実際に文献の査読と評価をしてみると十分精度が高く、海外特許に関する特許調査の時間が大幅に短縮できたのです。

全体導入に向けた検討と挫折

トライアルで研究・開発部門と知的財産部門双方にメリットが確認できた段階で、知財グループウェアの活用をさらに広範囲に広げ、全体で効率化するための試みが実施されました。知的財産部門や研究・開発部門それぞれに対し、トライアル期間で得られた効果に

事例1　目指したのは知的財産部門での業務効率化

ついてのプレゼンテーションを展開して、業務改革の必要性を訴えたのです。同時に知的財産部門の部長や研究・開発部門の統括役員にも予算獲得のための説明を行い、投入する費用に対して得られる効果は非常に高いことも訴えました。

しかし、結果としては導入に前向きな研究所や開発部門では可能とされたものの、知的財産部門全体での導入は見送られることになりました。A社の知的財産部門の業務は非常に分野が多岐にわたっていて、そのワークフローは非常に煩雑となっており、知的財産部門内でも所属するグループによって業務の細かなルールが異なっていました。そのため、新しい知財グループウェア導入によるワークフローや運用ルールの見直しができないと判断されたのです。

また、50人を抱える知的財産部門の業務はこれまでの歴史のなかでアナログな手法ながら非常に細かく管理されていて、現状のワークフローや運用ルールでの業務は非効率な点はあるものの、大きなトラブルが発生していないという背景もありました。特許調査の時間を短縮できる効果が得られた研究・開発部門のトライアルチームと異なり、知的財産部門での知財グループウェアの導入では大きな時間の削減や明白な効率性の向上が示せなかったことも要因となりました。

加えて知的財産部門への導入見送りの決定打の一つとなったのが、ＳＤＩの検索式の文字制限の問題です。導入を予定している知財グループウェアが連携している検索システムでは、A社の知的財産部門が検索に用いている複雑な検索方式を使えないという欠点がありました。化学系の特許を検索する際は、非常に複雑な検索方式を用いる必要があるため、もし知財グループウェアを導入するのであれば、ほかの特許検索システムで検索した特許文献のデータを知財グループウェアに投入するという二度手間が生じたのです。

これらを考慮した結果、知的財産部門全体での知財グループウェアの導入は見送られることになりました。そのうえで、まずは研究・開発部門での導入が進み、この部門で大半が導入した段階で知的財産部門とも歩調を合わせて改めて導入を検討することになったのです。

研究・開発部門での導入とワークフローの修正

知的財産部門での導入が見送られた結果、研究・開発部門が中心となって知財グループウェアを使用することになりました。研究・開発部門での知財グループウェアトライアルの効果は、非常に分かりやすく時間短縮効果が得られたため、導入に手を挙げる部署が多く、同部門の3割程度の部署でまず本格運用に向けたトライアルが始まりました。

導入のためにまず始めたのが、各部署でのワークフロー、運用ルールを知財グループウェアに合わせた形にすることです。システムを使いこなすためには、効果が分かりやすく得られたAIソート機能によるノイズの分離や和訳特許文献の利用だけでは不十分です。システムの特性をよく理解したうえで現在の業務をシステム上で再現する必要がありました。

そこで、A社では知財グループウェアの開発ベンダーと定期的にミーティングを開き、現状のワークフローと運用ルールを洗い出し、業務内容をシステム内で再現する手法と非効率箇所の改善について繰り返し提案を受けることにしました。システムの導入とワークフローの適正化を図ったのです。

同時に、トライアル期間とは異なって導入に積極的ではない研究者・技術者も多くシステムを利用することになるため、使用方法についてのヘルプデスクを設置しました。ヘルプデスク担当者は知的財産部門およびトライアルに協力した研究・開発部門の研究者・技術者が就任し、使用方法の不明点や各部署での運用や進捗について定期的に確認することになりました。同時に、ヘルプデスク担当者は知財グループウェアの社内情報の発信をする役割を担い、導入する研究・開発部門の部署をいっそう増やしていくため活動をすることなりました。発信内容は社内報での告知や、開発ベンダーの協力を得た社内セミナーの開催、興味をもった部署の上長への説明などが中心です。

本格導入とその後のフォローアップ

A社はトライアルから約1年後に知財グループウェアを研究・開発部門の一部に本格導入しました。現在は導入前の研究・開発部門、さらに利用を広げるべく、積極的に社内広報を続けています。

もちろん、導入後の社内の反応は良いものもありましたが否定的な意見もありました。AIによるノイズ判定機能についても、一部の研究者から「AIでノイズをソートしたものの、見落としを防ぐためには結局すべて読まなければならない。すべての特許を読むのであれば作業量は変わらない」という批判も出ました。そのたびに、導入部門では使用後のフィードバックを集め、その精度について確認し、教師データを見直すなどして研究者・技術者一人ひとりの納得感が得られるように改善を続けています。

また、知的財産部門から提供される特許調査用の特許文献は現在もエクセル形式であるため、知財グループウェアを導入した研究・開発部門はデータをシステムにアップロードする必要が生じています。そこで開発ベンダーからデータアップロードのためのマクロツールの提供を受け、アップロードの工程をできるだけ簡便にしています。また、データのアップロード方法の習得に困難を感じる研究者・技術者も存在するため、ヘルプデスク内にデータをアップロードして更新するワークフローを設けて、必要に応じてデータの更新を外注できる体制も構築しました。

知財業務の効率化を提案したスタッフは、自身が所属する知的財産部門での業務を効率化することはできませんでしたが、研究・開発部門による知財グループウェアの導入という全体効率化への第一歩を踏み出すことができました。今後も、提唱者として社内への啓発活動を続け、将来的には全社的な活用を通じた知財業務の効率化と、当初に掲げた3つのゴール（知財業務の効率改善を成し遂げ、エクセル管理をやめ、現在より特許情報活用が行えるようにする）の実現に向けて進んでいきたいと話しています。

知財グループウェアの導入を通じて感じた業務とのミスマッチについては、今後も開発ベンダーへ定期的にフィードバックし、対応策の提案と仕様改善の要望を続けていくそうです。

事例2

研究・開発動向の把握が知財グループウェア導入の出発点

研究所主体で業務改革に取り組んだB社

B社プロフィール

業種　　：総合飲料メーカー
社員数　：3万人（連結）
商品領域：飲料品、食品ほか

特許調査の状況が把握できていない知的財産部門

Ｂ社は日本を代表する総合飲料メーカーの一つです。創業時は酒類を販売する企業で、事業を拡大するにつれて酒類の製造や清涼飲料水、健康食品など製造する分野が広がり、近年では外食事業や中食事業を手掛けるなど、事業領域は年々広がっています。

幅広く製造分野の新しい製品を研究・開発するため、Ｂ社では大規模な研究所を保有しており、そのなかに複数の研究・開発部門が所属しています。Ｂ社の特許調査では、その幅広い専門分野に対応するため、各研究・開発部門で特許のサーチャーを育成し、それぞれの部署で独自に調査していました。

この状況に困っていたのが、Ｂ社の知的財産部門です。経営陣からの要請を受けて特許マップやＩＰランドスケープの作成に取り組む必要性が増してきた一方で、特許調査を各研究・開発部門に任せていたため概要がまったくつかめません。そのため、頻繁に研究・開発部門とミーティングを開催し、その研究・開発テーマや特許調査の動向についてヒアリングをしていました。

知的財産部門全体で非効率性を感じていたところに、ある知的財産部員が同業者交流会で特許調査を効率化する知財グループウェアがあることを聞きつけました。開発ベンダーに資料請求をして内容を精査した結果、知的財産部門による特許調査の現状把握ができるほか、研究・開発部門による特許調査の業務効率化も図れることが分かりました。そこで知的財産部門から積極的に働きかけ、いくつかの研究・開発部門に導入を打診したのです。

研究・開発部門が抱える多事業化への悩み

研究・開発部門においては、特許調査について知的財産部門とは別の問題意識をもっていました。酒類販売業から酒造メーカー、そして総合飲料メーカーとして発展し、さらに商品領域を増やしてきたB社では、研究・開発部門ごとに縦割りの特許調査と自社出願の管理が続いてきた歴史があります。以前は取り扱う飲料によって技術や特許が異なり、縦割りの管理で十分だったからです。また、研究・開発部門の地位が非常に高く、研究・開発部門が良しとすると異議を唱える雰囲気が社内にはほとんどなかったこともその傾向を後押ししていました。

しかし、近年は飲料部門の研究・開発の成果から派生した健康食品の売れ行きが伸び、新たな研究領域として一部門を形成するなど、研究・開発領域の重複化が起こるようになっていました。研究者・技術者自身も、協業をすることができれば効率的に研究・開発を進められるようになると感じつつ、研究所の規模と所属する部門の多さから一度出来上がったシステムを変えようと主張することは非常に難しい状況だったのです。

知的財産部門からの知財グループウェアの導入打診に対し、以前から研究・開発動向の共有不足を課題に感じていた研究・開発部門の上長の一部はとても前向きに手を挙げました。導入すれば、研究・開発部門からも他部署の特許調査の状況や研究テーマの検討が見えるようになる利点があるうえ、特許調査や開発で、社内で類似の取り組みがあれば、協力して取り組む体制を整えることができて大きな効率化につながると考えたのです。

知的財産部門の状況把握に効果を上げたシステム導入

研究・開発部門と知的財産部門が協議を進めた結果、最終的には6部門でのトライアルが実施されることになりました。もともと、特許調査では、研究・開発部門が特許検索システムを利用して評価対象特許文献を抽出していたため、知的財産部門のワークフローの変更は必要ありません。知的財産部門は特許調査の業務内容と進捗確認の閲覧用としてＩＤを取得し、運用主体は導入した６部門が担うことになりました。

トライアルの結果は上々でした。問題意識が高い上長の所属する研究・開発部門であっただけに、特許評価でＡＩを活用したノイズの分離機能や和訳された海外特許文献の査読は、研究者・技術者に非常に好意的に受け入れられました。加えて、知的財産部門が各部署と毎回ミーティングを設定し聞き取っていた特許調査や研究・開発動向についても、６部門が非常に熱心に知財グループウェアを活用していたので、システム上で一目で分かる状態になりました。ミーティングの回数は非常に少なくなり、開催時間も短縮され会議室にノートパソコンを持ち込み、研究・開発部門と知的財産部門の担当者が画面を見ながら確認するだけで状況把握が完了するようになりました。この結果を見て、トライアルに参加した研究・開発部門の上長たちは他部署の特許調査の状況や研究テーマの検討も十分できそうだと確信するに至りました。

立ちはだかる部門拡大への壁

研究・開発部門と知的財産部門双方で導入の効果を確認したB社は、知財グループウェアの本格導入を決定しました。そのうえで、さらに導入する研究・開発部門を増やそうと社内広報を行いましたが、思わぬ壁が立ちはだかりました。一部の研究・開発部門で案分して負担するシステム導入費用が大きなコストととらえられてしまったのです。

B社の知財グループウェア導入の動機は知的財産部門による研究・開発部門の動向の把握が出発点でした。説明の際にその点を強調し過ぎてしまったため、知的財産部門の業務効率化のために、なぜ自分の部門がコストを負担しなければならないのか、知的財産部門のメンバーが研究所を回る手間を惜しまなければ不要となる経費だなどととらえた社員が反対の声を上げるようになったのです。

このように、業務効率化システムの価値よりも導入コストが問題視され、導入が前向きに評価されない事例は多々あります。企業によってはコストの算定基準に人件費が含まれていないため、人の手でできるものは費用を掛けて効率化システムを使う必要がないと考えられがちなのです。実際に知財グループウェアを導入後もその機能を信用しない社員の一部がシステムの活用を拒んで従来のワークフローに戻してしまった結果、知財グループウェアが無駄なコストと判断されて導入が中止になった事例も少なくありません。B社での導入に否定的な研究・開発部門の反応はごく一般的な反応だともいえます。

効率化継続を後押ししたのはリモートワークの普及

知財グループウェアを活用する部門はそこまで増えず、B社は結局、8の研究・開発部門で正式導入をするだけにとどまりました。当初想定していたよりも否定的な意見が多く、全社的な導入が取りやめになりかけたように見えましたが、その後導入の促進に思わぬ追い風が吹くことになりました。リモートワークの普及です。

2020年、東京オリンピックの開催に伴う首都圏の混雑緩和のため全国一斉テレワークプロジェクト「テレワーク・デイズ」にB社は参加しており、徐々に社内にリモートワーク推進の気風が高まっていたのです。

全社を挙げたテレワーク推進について、管理部門である知的財産部門は積極的に取り組

事例2　研究・開発動向の把握が知財グループウェア導入の出発点

みました。従来は対面で行っていた研究・開発部門への聞き取りミーティングも、Web会議システムや電話、メールを活用した間接的な手法を用いて実施せざるを得なくなりました。リモートでの聞き取りに知財グループウェアによる状況把握は非常に役立ち、導入した部署では非常にスムーズに伝達できるようになりましたが、未導入部署では資料の共有や状況の伝達にたいへん苦労していました。テレワーク推進についての予算も各部署に割り振られることになり、当初は否定的だった一部の研究・開発部門の姿勢も軟化していったのです。

流れを決定付けたのは、2020年から本格的に流行が拡大した新型コロナウイルス感染症です。多くの研究・開発部門では、リモートワークの実施はオリンピック開催に伴う一時的な業務ととらえていましたが、感染拡大により、出社が全社的に強制的に抑制されました。「テレワーク・デイズ」の取り組みである程度リモートワークの環境は整えられていたものの、対面での伝達とローカルファイルの保存・管理を中心とした知財業務をはじめとする業務運営は大きく行き詰まりました。B社は新型コロナウイルス感染症の流行が長く続くと認識し、管理部門が多く所属する本社のオフィス面積を大幅に削ることも発表したのです。今後の研究・開発部門と知的財産部門とのコミュニケーションは遠隔でのやりとりを基本にしなければなりませんでした。

知的財産部門との意思疎通の効率化を図らざるを得なくなった研究・開発部門の態度は軟化していきました。今では3部門が知財グループウェアを導入しているほか、ほかの部門も知財グループウェア導入による特許調査の効率化の説明に積極的に耳を傾けるようになったそうです。

全研究・開発部門を対象とした導入にはまだほど遠い状況ですが、導入推進を担う知的財産部門のメンバーは今後も普及促進の活動を続けていく予定です。その結果、知的財産部門が適切に研究・開発部門の動向を把握し、成果を特許マップ、IPランドスケープなどの形で経営判断に役立てるほか、研究・開発部門間での研究テーマや特許調査履歴の共有によって開発スピードがより加速することを目標としているそうです。

事例3

海外特許文献の和文データを自動取得し、ノイズを分離できる機能が導入の決め手に

大量の海外特許調査を効率化したC社

C社プロフィール

業種　：総合化学メーカー
社員数　：3万人（連結）
商品領域：繊維製品、機能化成品、産業機械、医療機器、医薬品ほか

知的財産部門からも問題視されていた海外特許の調査

C社は紡績業を出発点に、独自技術を活かして多分野の化学製品の製造を拡大してきた企業です。1950年代から海外進出を本格化し、アジアと欧米を中心に現地工場を多数建設してきました。海外の関連会社は100社を超え、製品が国境を越えて世界中に流通する日本を代表するグローバル企業の一つです。

グローバル企業の多くが現在直面している問題は、生産・販売の事業を展開する国の特許調査です。英語や現地語での特許調査に非常に多くの労力がかかることはもちろん、対象特許も膨大となり、C社では研究・開発部門の本来の主業務である研究・開発活動に大きく支障をきたすほどになっていました。当然、特許検索システムから対象特許を抽出する役割を担う知的財産部門もこの状況を把握しており、その業務の負荷を問題視していました。そうしたなかで、知的財産部門の担当者が展示会で出会ったのが、和文翻訳された特許文献を閲覧でき、大量の特許のノイズ分類が可能な知財グループウェアです。

協力を名乗り出た研究・開発部門による精度の確認

C社にとって、海外特許文献を自動で和訳し、さらに大量の特許文献のノイズを分離するという機能は喉から手が出るほど欲しいものでした。課題は導入時の精度がどの程度かということです。C社の知的財産部門の担当者は、すでにAI機能をもつ業務効率化システムを導入した他部署に事前に精度を確認して回ったところ、「役に立つ」と回答する人や、「まだ技術的に使い物にならない」と回答する人、それぞれに意見が割れていました。

そこで、知的財産部門は以前から業務改善に協力的である部門長が所属する研究・開発部門に声を掛け、対象の知財グループウェアのトライアルに参加し、精度を見極めてくれるように依頼しました。そのうちの多くの部門長は、機能自体に非常に興味を示しながらも、3カ月もの長期のトライアルの間、業務フローを変えると大きな混乱が起こるのではと実施に及び腰でした。各部門とも日々大量の特許調査に追われており、新しい試みに取り組む余裕がなかったのです。そのなかで、日々の大量の特許調査で研究の停滞に強い危機意識をもつ一部門がようやくトライアル実施に名乗りを上げてくれました。

トライアルに名乗りを上げた部門は、それまで海外特許文献の評価の際に、手作業で翻訳していました。手法は所属する研究者に委ねられていましたが、多くは英文を別途テキストとしてワードファイルに抜き出し、辞書機能を使って翻訳するか、Web上の無料翻訳ソフトを使って日本語訳したうえで整えるという手法で、該当部門の部門長は限界を感じていました。しかし、古くからの研究・開発の歴史をもつC社の社内では英語文献は自ら翻訳して読むべきだと考える研究者も多かったのです。

研究者個々人の手による翻訳も、世界的な研究・開発動向の変化やC社のグローバル化の進展により徐々に無理が生じていました。以前は英語文献が多かった特許文献も、中国や韓国、東南アジア諸国など数十年のうちに特許出願数を増加させてきた新興国の影響で英語以外の特許が急増していました。世界的な特許出願数の増加で、数十年前とは比べものにならないほど検索の際のノイズとなる特許文献が増えていたのです。C社の研究・開発部門の活動は本来の業務である研究・開発活動が徐々に抑制され、経営陣から業務効率化のプレッシャーがかかることもしばしばでした。

知財グループウェアによる和文での海外特許の査読は想像以上に使い勝手が良かったそうです。英語の特許文献だけでなく、中国語、韓国語、ドイツ語、フランス語、スペイン語、ロシア語、ポルトガル語という世界で使われる主たる言語に対応しているため、カバー範囲は非常に広く、無料の翻訳ツールにありがちな未翻訳箇所といった抜けなどはなく、翻訳の不良があれば一目で分かる仕様であるため、概要の把握だけでなく精読の際にも活用できることが分かりました。日本語での検索ワードをハイライト表示する機能もあるため、研究者が英語に習熟していない場合でも非常に効率的に特許文献を読み進めることができる利点もあったのです。

知財グループウェアとして閲覧することで、システム内のAIによるノイズ判別機能が活用できるため、さらに特許調査の効率化を進められることも分かりました。C社のワークフローのルール上、ノイズ判別された特許文献も必ず目を通すことは必要ですが、すべて和訳されたものにざっと目を通すことができるためノイズ除去のための時間は大きく短縮できます。これまで個々人がそれぞれに翻訳を進めて、その和訳文が集積されていないことから難しかったダブルチェックも楽にできるようになり、特に新人研究者の育成には、細やかなフォローができることも分かってきました。

本格導入の決定と機能活用への課題

トライアル結果の好評を受け、知的財産部門ではその結果を各研究・開発部門に詳細に周知するとともに導入希望部門を募ったところ、多くの部門が導入を希望しました。その知財グループウェアは、一つのＩＤを数人で使い回すこともできるため、部門内の全研究員が当初からすべてＩＤを付与される必要はなく、初期投資が比較的軽く済むことも導入への後押しになりました。

結果として、現在はＣ社の研究・開発部門の約半数で知財グループウェアの導入が進み、特許調査の負荷は多くの研究者・技術者がシステムに習熟するにつれてかなり軽くなってきているそうです。

一方で、知的財産部門は知財グループウェアを活用して知財業務管理の見える化や効率化を同時に進めようとしてきたものの、まだ道半ばです。海外特許についてはこれまでの和訳負担の重さから、知的財産部門が特許検索システムにより抽出したデータの取り込み作業や、評価の入力などが積極的にされているものの、国内特許で知財グループウェアを

事例3　海外特許文献の和文データを自動取得し、ノイズを分離できる機能が導入の決め手に

活用していくうえでの動機付けが社内で十分できておらず、いまだにエクセルをベースとした作業を好む研究者が多くいるためです。

当初はその業務負荷軽減効果の高さから研究・開発部門で非常に好意的に受け入れられた知財グループウェアも普及してくると「連携している海外特許和文データベースのみの使用でよいのではないか」という声も聞こえてくるようになりました。しかし、知的財産部門としては今後のさらなる業務効率化のために、特許評価の進捗の見える化や、過去の特許調査の履歴の管理、部署間の研究・開発テーマ共有のために知財グループウェアの利用を推進していきたいと考えています。

今後、知的財産部門では知財グループウェア導入による業務効率化の成果をもとに、経営陣にシステム利用の普及による業務効率化の促進の重要性をさらに訴えていく予定だそうです。一度効率化に踏み出した流れを後退させないためにも、経営陣を巻き込み、強いメッセージを発信することにより、知財グループウェアの全研究・開発部門への使用の普及と国内特許調査結果のシステム内でのデータ蓄積に向けてプロジェクトを進めていくそうです。

事例4

機能を絞った導入により短期間で成果を獲得

情報共有に知財グループウェアを活用したD社

D社プロフィール

業種　：電機メーカー

社員数　：7000人（連結）

商品領域：半導体部品、基盤、ICチップ、端子など

少人数の知的財産部門における限界状態を変えるためのシステム導入

D社は戦後まもなく創業し、日本の高度成長に合わせて規模を拡大してきた電機メーカーです。世界的なテクノロジーの進化に歩調を合わせ、最先端の家電製品やコンピューター、自動車などに搭載する部品を開発し製造してきました。国内に2カ所の研究・開発拠点をもち、大別して3分野で、基礎研究や素材・プロセスの開発を展開し、そのなかでも多様な研究・開発チームが注目されています。

D社の知的財産部門の人員は5人と少ない一方、その業界特性から調査すべき競合他社の特許は膨大にある状況です。そのため、知的財産部門は特許調査にはほぼ関与せず、研究・開発部門が特許検索システムを利用しており、調査の責任も任せている状況でした。このため、経営陣が知財を経営に活かすことに興味をもったとしても、知的財産部門は自社の出願管理で手がいっぱいで、自社の知財の状況を他社と相対的に比較することや戦略を立てることができない状態だったのです。

危機感を抱いたのが他社から転職してきた知的財産部門の部長でした。弁理士の資格をもち、前職以外にも複数のさまざまな規模の企業での経験をもつ部長は、自身が部長というポジションでやるべき仕事は、知的財産部門が分析や戦略を立てることができない現状を打破することだと考えたのです。彼は、前職で利用していた知財グループウェアを使えば、D社の未公開出願や研究・開発のアイデアをシステム内で管理できるのではないかと考え、開発ベンダーに問い合わせました。部長は前職では知財グループウェアを使い、特許調査の効率化も進めていましたが、当初から特許調査の領域まで踏み込むことは想定していませんでした。まずは研究・開発部門のワークフローを大きく変えず、知的財産部門の部員に負荷をかけない形で改革を進めようとしたのです。

部長の提案に対し経営陣はたいへん前向きな反応でした。新しい人材による現状の改革はまさに歓迎すべきことで、近年の業務効率化の流れや知財運用の高度化の流れに合致する知財グループウェアの導入はそれだけでも成果であると認識されたのです。導入するシステムを部長が前職で使用していたという安心感も決定を後押ししました。

前職で開発ベンダーと交流があった部長の指揮で、知財グループウェアの導入は非常にスムーズに進みました。知的財産部門では出願した特許情報をシステムに登録する新たな業務フローが生まれたものの、一度登録さえしておけば自動でステータスが更新されるため大きな業務負荷は生まれません。研究・開発テーマの入力についても、これまでエクセルなどで管理されていたのをシステムに入力する運用に変更するだけだったため、研究・開発部門から異論は出ませんでした。

D社の研究・開発部門の情報参照体制は非常に向上しました。自社が出願した未公開特許の情報について部門の枠を超えて閲覧できるようになり、研究のアイデアについても部門内・部門横断の状態で共有しやすくなりました。何より、研究・開発部門と経営陣とのコミュニケーションが飛躍的にとれるようになったことは、社内で大いに喜ばれました。これまで多くの時間を費やし作成していた経営陣への説明資料が、画面を共有するだけで一目で分かるようになったのです。

順調に見えたシステム利用浸透の壁

社内からの好評を受け順調に運用が進んだことから、知財グループウェアの導入を推進した部長は、システムの利用が浸透すれば、特許調査の効率化機能についても導入を進めることは簡単だろうと考えていました。

知財グループウェアの導入から半年が経過したあとに、研究・開発部門での特許調査の工程について、知的財産部門からシステムを利用した効率化を提案しました。これまでエクセルを利用して実施されていた特許調査の結果がシステム内に蓄積されれば、知的財産部門も履歴や進捗が確認できるようになり、今後の知財管理業務の高度化に一歩踏み出すことができます。研究・開発部門としても、ＡＩを活用したノイズ除去や海外特許文献の和文での査読などにより、大幅に時間が削減されることを訴え、両部にウィンウィンの関係となる効率化プロジェクトをともに進めようと周知して回りました。

しかし、研究・開発部門の上長たちはその場では特許検索の効率化に同意する意思は示したものの、実際には一向に導入が進まなかったのです。部長は首をかしげました。

推進者不在のなかで現状維持を守る技術者

特許調査の効率化を推進して半年余りが経過した段階で、特許調査のデータはまばらにしか入力されませんでした。部長が研究・開発部門にヒアリングすると、上長が呼び掛けてはいるものの、現場からの抵抗が根強くなかなか特許調査での利用が進まないとの回答

事例4　機能を絞った導入により短期間で成果を獲得

がありました。主にベテラン世代がエクセルをやめることにかたくなに反対しているほか、AIを活用したノイズ除去や従来の特許検索システムからのデータ読み込みなどがうまくできず挫折している社員が多いことが分かりました。また、知的財産部門や上長が進捗具合をつかもうとすること自体に難色を示している社員もおり、これまでの管理が行き届かない状態を好んでいる風潮も一部あることも分かりました。

部長は前職での経験から知財グループウェアの使い方を熟知しているものの、研究・開発部門にシステムをよく理解し普及させることができる担当者がいないことも問題でした。部長は研究・開発部門の上長に協力的な若手社員がいないか確認してみましたが、古くからの習慣が残り若手の発言力が弱い職場環境であるため、若手社員は目立つことをやりたがらない傾向にあるという回答でした。D社の研究・開発の現場では指導担当者と若手が師弟関係であるかのような雰囲気が支配しており、若手が先頭に立つことが歓迎されない社風が根強かったのです。部長はこうなった以上は自身が研究・開発部門に出向いて普及を促進するしかないと考えましたが、少人数の体制で多くの自社特許の出願管理を担う知的財産部門のマネジメント業務がある以上、多くの時間を割くことはできません。こうした結果、特許調査の効率化は停滞したままとなってしまいました。

D社の知財グループウェアの活用は、一部機能に限っては非常に順調といえますが、その機能を存分に活かすことができていない状況です。しかし、導入を決めた知的財産部門の部長はシステムの活用促進について諦めたわけではありません。

部長は現在、開発ベンダーに依頼をして社内セミナーを開き、社内でのｐＲ活動に努め、経営陣に依頼をして知財グループウェアの導入を推進する担当者の人員確保を要望しています。これまで知的財産部門の人員増にも難色を示してきた経営陣から同意を得ることは簡単ではありません。しかし、部長はＤ社の研究・開発部門の競争力を強化するためにも、システムを活用した業務効率化は絶対に必要であると訴え続けています。同時に、知的財産部門では業務の合間を縫って知財グループウェアの習熟を重ね、使用方法の問い合わせ一件一件に丁寧に対応する取り組みも始めたそうです。出願管理業務で多忙ななか新しいシステムへの習熟を重ねるのは簡単なことではありませんが、地道な活動の先に、研究・開発部門にシステムの推進者が生まれることを願っているそうです。

事例5

5年、10年先を見据えて知財グループウェアの利用を進める

重い知的財産部門への業務負荷を乗り越えたE社

E社プロフィール

業種　　：化学メーカー
社員数　：1万7千人（連結）
商品領域：化学製品、電子材料ほか

課題として抱えてきた特許調査結果の管理

E社は化学製品を中心に扱う大手化学メーカーです。旧来の主力製品である化学製品は活用用途が広く、多数の研究・開発部門による研究・開発が活発なことで知られてきました。近年は先端領域に活用される製品の開発にも注力し、特許取得の多さでも注目を集める企業です。

E社で特許調査のワークフローについて課題を感じていたのは、E社のサーチャーでした。E社には特許に限らず知財に関するさまざまな分野の調査を請け負う専門部隊が存在します。サーチャーたちは研究・開発部門からの依頼を受けて特許検索システムを使って必要な特許文献を抽出し、その都度エクセル形式で研究・開発部門に渡すワークフローで業務にあたってきました。しかし、渡したあとの工程は研究・開発部門に任せきりで、調査結果が活用されているのかどうかも分からない状態が続いていました。時には非常に似通った調査を依頼される場合もありましたが、過去の調査の履歴を手元に残していないので、指摘もできません。サーチャーたちは研究・開発部門の内部でも特許調査結果の管理ができていないのではないかと感じていました。

サーチャーたちは知的財産部門の全体会議でこの問題を共有することにしました。調査結果について研究・開発部門に渡したままそのあとを追えていないこと、特許調査の結果が知的財産部門のサーチャーと研究・開発部門の知財担当の間で共有できていないことを訴え、両部門間で特許調査の結果を管理できれば、調査結果を有効に活用できるのではと訴えたのです。

この訴えは知的財産部門全体の問題ととらえられ、まずは研究・開発部門に渡した調査結果のその後の活用法について調査が始まりました。各部署にヒアリングすると、管理はバラバラで、なかには特許調査の進捗を細かく確認し、分類して社内の共有ストレージに格納している部署もありましたが、部署によっては依頼してサーチャーから受け取った調査結果を見ることなく放置している事例もありました。ほかの業務の多忙さから、調査の優先順位が落ちていたのです。

深刻な問題だと受け止めた知的財産部門は、特許調査の工程を管理し効率化するためのツールを探すことにしました。そして、さまざまな企業の業務管理ツールの資料を探し、展示会などにも足を運ぶなかで、知財グループウェアの存在を知ったのです。

研究・開発部門と知的財産部門の業務は効率化できるか

知財グループウェアは、E社の特許調査業務と相性が良いように見えました。E社のサーチャーは調査対象に合わせてさまざまなツールを使ってきましたが、知財グループウェアは他社のものと異なりさまざまな外部サービスと連携していたため、商品独自の特許検索システムに縛られることがない特徴をもっていました。また、連携していない場合でも外部の特許検索システムで抽出した特許文献をシステムにアップロードすることができるため、調査の幅を狭める必要がありません。特許文献のインポートがサーチャーの負荷になりそうな場合は、アップロード作業の外注ができることも利点でした。システムの画面は非常にシンプルな作りになっており、知的財産部門から見れば非常に使いやすそうに感じられました。

使いやすさについては問題ないと判断された一方で、検討課題として挙がったのは効率性でした。当初の目的は特許調査の進捗の把握と共有による調査結果の有効活用と業務効率化です。特許調査の進捗の把握はできそうでしたが、導入後の効率化が果たせなければ意味はありません。そのため、開発ベンダーに相談して試用期間を長く設け、実際に運用して効率化の度合いを確かめることにしました。試用期間の利用対象者は知的財産部門のサーチャーと、知的財産部門から声を掛けた研究・開発部門の一部署です。研究・開発部門では知財担当者までＩＤが割り振られました。

試用期間が3カ月ほど過ぎた段階で判明したのは、研究・開発部門での特許調査の効率化は大幅に成し遂げられるものの、導入に伴い知的財産部門の負荷が大幅に増えることでした。試用した研究・開発部門では、海外特許文献の査読が多かったことから、和訳特許文献が閲覧できることが非常に好評で研究者たちは積極的に知財グループウェアを使うようになりました。また、システムを利用したことで部署の上長が特許調査の進捗具合を一目で把握できるようになったため、特許調査の放置や滞りを防ぐことができるようになったという効果もありました。しかし一方で、使用方法について知的財産部門への問い合わせが非常に多く、知的財産部門のサーチャーはサポート担当として頻繁に研究・開発部門を訪れることになりました。知的財産部門は特許調査の進捗と結果の管理ができるようになったものの、従来業務の効率化の効果はありません。サポートの負担が増した分、かえって業務量が増える結果になってしまいました。

この結果を受けて、知的財産部門では業務負荷の増加というデメリットを受け入れて導入を進める決断を下しました。研究・開発部門の特許調査での効率化の効果は高いうえ、特許調査結果の管理を見える化できる点に将来性を感じたからです。これまで知的財産部門の業務は特許申請と他社特許の侵害予防の大きな2軸による「守り」の姿勢が重視されていましたが、ＩＰランドスケープが特許庁の旗振りで大々的に提唱されてからは上層部にも特許運用による未来志向の意識が芽生え始め、特許調査の重要性について認識が広がってきている時期でした。知的財産部門は、知財グループウェアを活用した特許情報の有効活用に期待したのです。

稟議の障害となった企業規模とその対処

知的財産部門は本格的に知財グループウェアの導入を進めようと、導入予算について経営陣の稟議に掛けることにしました。しかし、経営陣はコストに対する効果について納得はしたものの、思わぬ点で懸念を示したのでした。サービスを提供する開発ベンダーの企業規模が小さく、継続性に不安があると指摘したのです。

Ｅ社ではこれまで、システムを導入する際は必ず日本の大手総合ＩＴベンダーの提供するサービスを利用してきました。システム導入による業務への影響は非常に大きく、常に充実したサポートを受けられること、サービス提供に長期間の継続性が見込めることが、その機能と同等に重視されてきたからです。過去、中小のシステムベンダーは市況によってサービスの提供が急に止まる事例も多く、通常は検討の対象外とされていました。

しかし、知的財産部門としては稟議に掛けている知財グループウェア以外に、特許調査進捗の見える化や特許調査工程自体の効率化を実現できるものはないと高く評価していました。加えて、特許調査という非常に専門性が高くニッチな分野に総合的にアプローチできるシステムをなんとか導入したいという意向ももっていました。そこで、開発ベンダーにも相談した結果、万が一の場合はデータをダウンロードして保存できるということを確認し、経営陣の説得を続けたのです。最後は知的財産部門の熱意に経営陣が折れ、導入が決まりました。

本格導入までの長い道のり

晴れて本格導入が決まったものの、すべての研究・開発部門にその機能を開放するまでには非常に長い道のりがありました。導入に向けて利用する研究・開発部門を4つに増やしてテストしたところ、使い方を任せてしまうと運用パターンがそれぞれ異なってしまうことが分かったのです。

運用パターンが異なると、知的財産部門による進捗の確認が難しくなるうえ、利用方法についての問い合わせがきた場合も、まずその部署の運用方法について詳しく確認しなければならないという手間が掛かります。そこで、利用を始めた部門の知財担当と連携して運用方法を3パターンに絞り込み、そのルールを細かく決めていきました。

特に苦労したのは、検索システムで抽出した特許情報やＳＤＩ情報、自社特許情報など複数の情報をシステム上で同時に運用する手法です。自由なルールでも複数の情報を管理することはできますが、統一性がなければその後のデータ管理に苦労し、状況把握が難しくなることは目に見えています。この点は開発ベンダーと頻繁にミーティングを重ね、自社の状況に合わせた設計を作り上げていきました。

本格導入と地道な普及活動

Ｅ社では半年ほど掛けて運用ルールを定め、その運用に問題がないかテストを繰り返したあと、いよいよ全社に向けて本格導入を進めることになりました。その手法は、強制的に全研究・開発部門にＩＤを付与するという大規模なものではなく、サーチャーが特許調査を依頼されるたびに、依頼者にＩＤを割り振って知財グループウェアの利用を開始してもらう方式でした。その方法をとらなければ、利用のフォローアップを行うサーチャーへの重荷がコントロールできなかったためです。

そうしたＩＤ付与とフォローアップへの対処をしても、研究・開発部門の知財グループウェアの利用とその定着は簡単ではありませんでした。若年層は新しいシステムにすぐなじみ、効率化ツールを使いこなす傾向にありましたが、ベテラン層のなかにはデジタルアレルギーのような反応を示し、インターネットブラウザを使っての業務というだけで拒否反応を示す社員もいました。その場合は、研究・開発部門の各部署と綿密にコミュニケーションをとり、周囲の若年層から利用を徐々に広め、部門全体の運用として知財グループウェアを使わざるを得ない環境とし、周囲からの援助も受けやすくするなどして定着を図りました。

また、部門異動で配属された新人研究者に使い方が伝達されておらず、エクセルでの特許調査の運用に戻ってしまった事例もありました。ほかにも、引き継ぎの際の伝達不十分から当初設計した運用とは別の方法で使われている例があるなど運用の安定には定期的なチェックとフォローアップが必要なことも分かってきました。

サーチャーは通常業務に加えてフォローアップに追われることになりましたが、知的財産部門は知財グループウェアの利用推進がE社の将来にとって不可欠なものと認識していたため突き進むことになりました。当初3パターンに定めた運用も随時検討を重ね、現場が使いやすいように変更し、利用促進のための働きかけ方も部門の特性を勘案しながら柔軟に対応していった結果、1～2年後にはフォローアップの手がさほどかからない状態にたどり着くことができました。

苦労の末にたどり着いた成果と今後

導入から5年が経過し、E社が徐々に浸透を図った知財グループウェアの成果は徐々にその芽を出してきています。利用部門の代表者からは多くの社員が知財グループウェアを利用することによって部門管理がしやすくなったと感想が集まるようになりました。活用頻度はまだ低いものの、自社の特許管理システムでは難しかった自社特許の登録も始まり、

事例5　5年、10年先を見据えて知財グループウェアの利用を進める

徐々に申請した特許の現状を確認したり、部門横断で特許申請した技術を共有したりする動きも始まりました。さらに、研究・開発部門に所属している知財担当者が新しい使い方のアイデアを提案するようになってきたのです。

最近では研究・開発部門の部長クラスが研究・開発者と経営陣をつなぐツールとして知財グループウェアに期待を寄せているという話も知的財産部門に聞こえてきています。研究・開発部門が調査したテーマを分析し、特許マップなどを作成することで、経営陣に説明しやすくなるだろうというアイデアです。E社では特許情報はうそをつかないと経営陣も価値を深く認識していました。特許分析をこれまで以上に手軽に活用できるようになれば、経営陣への説明がより効果的になると考えているのです。

知的財産部門も早くから知財グループウェアの導入を進めていたことで、近年提唱されている「知財DX」も、すでにいち早く実施済みであって今後もより活用を進めていくことを胸を張って経営陣に説明できているといいます。特に特許調査でAIや機械学習を活かした海外特許和文データの閲覧機能が、説明の説得力を増すととらえています。

知的財産部門としては今後の5年、10年先を見据えて、よりいっそう知財グループウェア利用を推し進めていくそうです。利用者フォローがある程度落ちついた今も、研究・開発部門に任せきりにしていてはエクセル運用に戻ってしまうことがあり、利用促進の意義

を浸透させていくことが欠かせないと考えています。一部の部署では十分な活用がされていないという状況もあります。現在の状況は未来志向の活動をするための地固めの段階といえます。特許調査の結果や自社特許情報を今後の戦略に活用していくには、まずそのデータが一定のルールに沿ってまんべんなく蓄積される状態にしなければなりません。

今後E社は、まず開発ベンダーと協力して社内セミナーを定期的に開催し、知財グループウェア利用の目的とそれを実現する機能の有効性についてよりいっそうの周知を図っていくとしています。まだまだ社内には最低限の使い方しかできない利用者が多く、意欲的な社員のなかには「もっと使いこなしていきたい」という要望もあります。E社では全体の開発力の向上と知財資産の活用を進めるため、今後も意欲的な社員の要望をすくい上げ、後ろを向いている社員のフォローをしながら草の根の活動を地道に取り組み続けます。

システムの導入は「人」を変える

A社からE社の5事例で顕著に表れていたように、システム導入で最大の障壁となったのはその機能の問題ではなく、人の問題です。どの企業でもシステムの導入担当者は旧来の仕事の手法をかたくなに変えようとしない勢力と立ち向かわなければなりません。そうした人々を、古い考えをもつ人、新しい方法に適応できない人と切り捨てて考えることは簡単ですが、問題は単純ではありません。そうした人々はその会社の企業文化そのものを体現していることが多いからです。

日本の製造業では、高度経済成長期にもてはやされた日本的経営の文化を今も継承している企業が少なくありません。かつて、日本企業は企業別組合による労使協調、終身雇用、年功序列制度により、社員が家族として一丸となり企業の発展が目指されていました。その状況は言葉で明示することがなくとも分かり合える、あうんの呼吸が重視されている世界で、滅私奉公をすることにより成果を出すことが要求されました。今の時代に要求されている、業務の見える化と効率化とは対極の世界であるといえます。

日本経済の状況悪化により短期的な成果が求められるようになった結果として、日本的経営は見直されるようになりましたが、いまだに過去の風潮が根強く残り、企業文化の改革に苦労している企業は多く見られます。特に専門性の高い部署である知的財産部門や研究・開発部門は、経営陣が口を挟みにくい独特な業務文化という特徴から大きな変化がないまま現在に至っている傾向です。この変化になじまない保守的な環境こそが知財業務効率化での最も大きな障害なのです。

知財グループウェアの導入はこうした悪しき業務文化に大きくメスを入れるものです。その推進にあたっては、事例で示したように、利用者にとっては時に大きな痛みを、推進者にとっては大きな負担を伴います。しかし、この大きな痛みと負担を伴うからこそ、システムの導入により企業の人と文化は変えることができるのです。

痛みや負担の伴わない改革はあり得ませんが、システムの導入はそのなかでも関係者の痛手は少なく済む方法でもあります。人員削減などと比べると、システムの導入は労使双方にとってはそれほど大きな痛手を負うことはありません。

システム導入の成果は効率性の数値で測られがちですが、決してそれだけで終わりません。

その過程には、社内で推進者と利用者に「変わろうとする力」が生まれるという、確かな成果が含まれているのです。だからこそ、その導入に関しての検討や効果の検証にあたって、責任者は、自社の社員のことをよく見ておく必要があります。自社の内側から自発的に変わろうとする力がいかに生み出されているかという点に注目することも重要なのです。

おわりに

　私が経営する会社で知財グループウェアの前身である「ＴＨＥ調査力」を開発・発売したのは２００９年のことでした。松下電器産業（現パナソニック）で32年の月日を過ごすなかで知財実務に長らく従事し、国内知財分野のあるべき姿を思い描く自身の信念に従って起業してから、６年が経過していました。長年アイデアを温め、企業の知的財産部門や研究・開発部門と対話を続けた成果が形になったときの感動は忘れられません。

「ＴＨＥ調査力」を開発するにあたって、当時の日本の知財業務には本文でも述べたとおり多くの課題が山積していました。知財実務の高度化により増加した膨大な特許調査の負担や、縦割りの運用による情報共有の不足、研究・開発部門への投資の停滞など、日本企業の研究・開発がおかれた環境はまさに行き詰まっているといえる状況だったのです。

　そうした環境を打破するには、現状からなんとか時間や予算をひねり出すしかありません。無から有を生み出すには、ＩＴ・デジタル技術の発達の恩恵を受けることが現代の一つの解決策です。その切り口から、知財業務の進捗管理機能やキーワードやＡＩによる特許調査のノイズ判定機能、他社と提携した機械学習機能を活用した和訳情報データベースとの連携機能の搭載などのアイデアが次々と生まれてきました。しかし、私が真に実現したいと感じていたことは、こうした局所レベルの効率化ではありません。

私が理想として考えている知財実務の現場は、論文や文献、研究・開発テーマなど知財に関するありとあらゆる情報が知財グループウェアに蓄積され、その内容が全社に共有されることで連携ができるというものです。情報が蓄積されることにより、研究者・技術者、知的財産部員、経営陣のコミュニケーションが活発になり、適切なリソースが各所に割り振られ、創造的な発明が促進される環境が形づくられ、発明を後押しする状況をＩＴ・デジタル技術の活用によって実現したいと考え、日々の機能改善に取り組んでいます。

昔話になりますが、私が知財実務に関わり始めた約50年前は、知財実務が今ほど難しくはなく、その業務構造も単純であったため、情報の共有や経営者と部門間のコミュニケーションも比較的容易な状態にありました。右肩上がりの成長に伴った潤沢な予算配分もあった結果、日本企業の多くの研究・開発現場では多くの発明が生まれ、知的財産部門の協力のもとで数多くの特許が取得されていったのです。

時代が変わった今となってはこの環境を取り戻すことはできないと考えられがちですが、私はそうは思いません。日々進化するＩＴ・デジタル技術の恩恵を適切に取り入れることができれば、現在の行き詰まった状況を一つひとつ打破できると私は信じています。そして、最新の技術の力を借りて情報活用を進めていけば、以前日本企業が力をもっていた時代以上のイノベーションが生まれ、競争力の源泉となる新たな力が芽生えると期待をしているのです。

「THE調査力」の導入を通じて、さまざまな企業の業務改革に併走してきましたが、道のりは決して平坦ではありませんでした。日本の開発力を甦らせる、過去以上に日本の研究・開発の現場を活性化させるという大きな理想を抱いて製品を開発したものの、その導入に際しては機能を適切に活用した効率化の段階で行き詰まることも多く、企業の導入担当者と膝を突き合わせて悩むこともしばしばでした。

しかし、導入に関しての悩みや問題は決して悪いものではありません。企業が直面している問題やシステム利用上の要望に丁寧に耳を傾けていくことで、製品のさらなる改善点が非常に具体的に見えてきたからです。そうした点からいえば、何度もバージョンアップした結果である現在の「THE調査力AI」は企業の知財業務に携わる皆さんとともに作り上げたシステムだといえます。そうした意味では、もはやこの製品が目指す理想は私の想定したものをはるかに超え、多くの人が思い描く未来の形を反映したものでもあるのです。

この新たなシステムを開発し、それを企業が導入することでともに併走し、問題点を共有し、知財業務を促進させる機能改善に活かしていくというサイクルをより加速させるため、現在私たちは「THE調査力」とは別のシステムの開発にも取り組んでいます。IIC（イノベーション、インベンション、コンペティション）をテーマに特許情報だけでなく、技術資料や論文、文献など広義の知的財産権に関する情報を一元的に管理・共有するという新たな情報管理の箱のような仕組みです。システム上では項目名を自ら作ることができ、アイデアに沿った一覧化が誰でも自由にできるような情報のハブの役割を果たしていくことを目指しています。私の会社はこれまで知財業務に特化したシステムを作ってきましたが、今後は研究・開発情報も蓄積情報として取り込むことで、企業単位やあるいは研究所単位のR＆D情報ステーションを作る計画も進めています。

このように、我々のような開発ベンダーは次々と新しい機能を開発しますが、内容は分かりにくく活用のイメージができないこともあるかと思います。システムの構造と実務は隔たりがあることが当然で、隔たりがあるからこそシステムの利用をきっかけとした業務改善はなされます。本書では、その構造やアプローチの手法をできるだけ身近に感じられるように、多くの事例を用いてシステムを活用した業務改善とその先の企業風土の改革までを説明してきました。

もちろん、書籍だけでそのすべてを共有できるとは思っていません。ただ、本書を通じて読者の皆さんが知財業務を改革するシステムについて少しでも関心を寄せ、開発ベンダーと対話し、自社での業務改善を検討する初めの一歩を踏み出してくだされば、何よりの喜びです。

2023年4月吉日

古川智昭

古川智昭（ふるかわ ともあき）

1952年、福岡県北九州市生まれ。八幡工業高等学校卒業後、松下電器産業株式会社（現・パナソニック株式会社）入社。同社の住宅設備機器研究所等を経て、1990年住設知的財産権センター企画室長、知的財産権センター 戦略企画・IT チームリーダー。2003年に同社を早期退職し、アイ・ピー・ファイン株式会社設立、代表取締役就任。同社の主力製品として知的財産関連業務に特化した業務効率化システム「R&D知財グループウェア“THE調査力AI”」がある。前職時代の企画・ライセンス・知財システム等全般のマルチな経験を活かし、企業の知財 DX に取り組む。

本書についての
ご意見・ご感想はコチラ

日本の開発力を甦らせる知財DX

2023年4月26日　第1刷発行

著　者　　古川智昭
発行人　　久保田貴幸

発行元　　株式会社 幻冬舎メディアコンサルティング
〒151-0051　東京都渋谷区千駄ヶ谷4-9-7
電話　03-5411-6440（編集）

発売元　　株式会社 幻冬舎
〒151-0051　東京都渋谷区千駄ヶ谷4-9-7
電話　03-5411-6222（営業）

印刷・製本　中央精版印刷株式会社
装　丁　　弓田和則

検印廃止

ISBN 978-4-344-94475-6 C0034
幻冬舎メディアコンサルティングＨＰ
https://www.gentosha-mc.com/